허수아비

최태호

1948년 경북 경주 출생
1973~1985 고교 교사역임
1986~1989 국제 케미칼 대표
1998년 월간문예사조 신인상
2000년 월간수필문학 추천완료
2011년 경주 문협상 수상
2014년 제 3회 경주 문학상 수상(한국수력 원자력 주최)
한국문인협회 회원
한국 수필문학가협회 이사
신라 문학대상 운영위원
경주 문인협회 사무국장 및 부지부장 역임
경주 문예대학 동창회장 역임
행단문학회 초대회장 역임

E-mail : kj4546@hanmail.net

허수아비

•

인쇄일 · 2021. 2. 10.
발행일 · 2021. 2. 15.

지은이 | 최태호
펴낸이 | 이형식
펴낸곳 | 도서출판 문학관
등록일자 | 1988. 1. 11
등록번호 | 제10-184호
주소 | 04089 서울시 마포구 독막로 28길 34
전화 | (02)718-6810, (02)717-0840
팩스 | (02)706-2225
E-mail | mhkbook@hanmail.net

값 · 15,000원

ISBN 978-89-7077-618-7 03810

허수아비

최태호 수필집

문학관books

'수필은 청자연적이다. 수필은 난이요, 학이요, 청초하고 몸
맵시 날렵한 여인이다. …수필은 한가하면서도 나태하지 아니
하고, 속박을 벗어나고서도 산만하지 않으며, 찬란하지 않고
우아하며, 날카롭지 않으나 산뜻한 문학이다.' 금아 피천득 선
생의 글입니다.

학창 시절, 이 글을 읽고 수필에 대한 동경이 시작되었지만,
정작 수필은 내 노년의 꿈이 되었습니다. 꿈은 나침판과 같아,
꿈이 있으면 꿈을 좇아가지만, 꿈이 없는 삶은 그냥 생존일 뿐
이지요. 꿈은 희망도 품게 해줍니다. 희망은 달성 여부와 관계
없이 삶에 무한한 생동감을 줍니다.

수필과 함께한 내 삶의 후반부는 참으로 행복했습니다. 삶이
지루하거나 방황할 틈이 없었습니다. 수필은 내 삶 속을 흐르
는 맑은 개울물 같았습니다. 가끔 그 물가에 앉아 세파에 오염
된 마음을 씻고, 옛 추억을 반추하며 그리움 속으로 드나들기
도 했습니다. 아직도 그 깊이를 짐작조차 할 수 없지만, 인연이
닿은 것만으로도 저에겐 크나큰 행운이었습니다.

수필은 서른여섯 살 중년 고개를 넘어선 사람의 글이라고 했
습니다. 하지만, 수필과 인연을 맺은 것은 지천명을 넘어선 어

느 가을이었습니다. 늦은 글쓰기를 시작하면서 오직 하나 바라는 것이 있었다면 내가 쓴 글들을 모아 한 권의 책으로 남기는 것이었습니다. 내 삶의 가장 보람된 일이요, 마지막 작업으로 생각해 왔습니다.

미흡하나마 이제 그 일을 하려고 합니다. 모두가 제멋대로 생긴 못난 글들이지만, 길은 멀고 날이 저물어 더는 버려둘 수가 없었습니다. 오랜 기간 방치해둔 글이라 한곳에 묶는 데 어려움이 많았습니다. 수필은 사실을 바탕으로 쓰기에 시대상이 반영되기 마련입니다. 문제는 너무 긴 시간이 흘러 글의 내용이 현시대와 맞지 않는 것이었습니다.

다가설수록 수필을 쓰는 일이 어렵기만 합니다. 새로운 글을 내놓기가 언제나 망설여집니다. 그동안 재미도 없고, 감동도, 유익함도 없는 제 글을 읽어 주었을 사람들이 고맙기만 합니다. 한편으로는 미안하기도 하고요, 아무튼 다시 한 자리에 모아놓고 용서를 빕니다.

출판에 도움을 주신 모든 분께 감사를 드립니다. 스쳐 가는 인연이었지만, 부족한 제 글에 촌평을 해주셨던 두 분 교수님께 큰절을 올립니다. 특별히 최돌문 사진작가님과 문인화를 제공해주신 이정혜 작가님께 고마움을 전합니다. 아울러 표지 그림으로 허수아비를 그려준 외손녀 연서에게 끝없는 사랑을 보냅니다.

2020년 12월 최태호

PART 3 추억 속으로 날아간 새

PART 4 그건 오해였다

PART 7 허수아비

PART 1

내 사랑 얼레지꽃

PART 1

내 사랑
얼레지꽃

고향의 봄

내 고향 경주의 봄은 폐가廢家의 뜰에서 눈을 뜬다.

주인 없는 빈집에서 봄기운이 흘러넘치고 있다. 무너진 담장 너머로 고개를 쳐든 봄꽃이 행인들의 발걸음을 멈추게 한다. 쓰러질 듯 기운 대문을 밀치고 들어서니 늙은 매화나무 한 그루가 앞마당을 지키고 있다. 가지마다 연분홍 꽃망울을 가득 터트려놓고 홀로 봄 햇살을 즐기고 있다.

기나긴 산고産苦 끝에 고도 보존법이 통과되었다. 그동안 개별 문화재를 대상으로 하는 문화재보호법의 적용을 받았는데, 이제는 고도 전체를 통합적으로 관리하는 특별조치법을 적용받는다. 고도 보존에 영향을 주는 행위들을 엄격히 규제하고 위반하면 무거운 처벌도 받게 된다.

오랫동안 사적지 주변에 살면서 재산권 행사는커녕 집수리조차 못 하고 지내다가, 이제 겨우 이주할 길이 마련된 셈이다. 문제는 통과된 법안이 형평성을 잃었다는 데 있다. 제출된 원안에는 고도 보존과 도시 정비 부문이 균형을 이뤘는데, 법안이 수정되면서 보존 위주로 바뀌었다고 한다.

법원의 상징물인 정의의 여신상을 보면 손에 저울과 칼을 들고 서 있다. 법의 공정성과 엄격함을 의미한다고 한다. 법 앞에 만인이 평등하려면 무엇보다 기준이 되는 법안의 내용이 중요하다. 천년고도가 무분별한 개발로 몸살을 앓고 있다지만, 각종 규제에 묶인 주민들의 삶도 배려해야 할 것이다.

아무도 없는 무덤뿐인 도시라면 누가 찾아올 것인가? 고도의 주인은 주민들이 되어야 마땅하다. 대책 없는 개발 억제만을 주장한다면 주민들의 피해는 누가 보상해 줄 것인가? 과거와 현대가 공존하기 위해서는 신도시를 조성하여 사적지 주변 사람들을 이주시켜야 할 것이다.

법안이 통과된 후 사적지 주변의 민가民家들을 사들이기 시작하자, 곳곳에 철거를 기다리는 빈집들이 늘어나고 있다. 그러나 예산 문제로 단계적으로 보상해 나간다고 한다. 지금의 추세라면 30년쯤 걸린다고 하니, 나이 든 사람들은 이주를 포기하고 살아야 할 것 같다.

사업의 시행 주체도 문화부 장관에서 시장 몫으로 변경되었다고 한다. 얼마나 힘 있게 일을 추진해 나갈지도 의문이다. 무작정 자신의 차례가 올 때까지 기다릴 수밖엔 없다. 아끼려다 더 많은 예산을 쏟아붓는 잘못을 범하지 않았으면 한다.

행랑채를 지나 쪽문으로 들어서니 사랑채 앞 명자나무에도 꽃눈이 한창이다. 안채에서 담을 넘어 들어온 산수유 묶은 가지에도 노란 꽃망울이 넘치도록 달려있다. 기울어진 쪽마루에 앉아 담장 밖을 내다본다. 탁 트인 들녘에서 수런거리는 봄의 소리가 들려오고 있다.

봄이 오면 사적지 주변엔 뭉게뭉게 꽃구름이 피어오르고, 천지가 온통 꽃밭으로 변한다. 그 무렵 봄꽃축제들이 경쟁하듯 열리고 사적지마다 찾아오는 사람들로 넘쳐난다. 축제가 끝난 후 집으로 돌아가는 길이면, 가로등 불빛에 비친 활짝 핀 벚꽃들의 자태가 너무나 고와서 슬프다.

지금, 이 순간 아지랑이 피어오르는 폐가의 뜰에서, 황홀한 경주의 봄이 구름처럼 번져 나가고 있다. 무너진 담장을 넘어, 기울어진 대문 틈 사이로, 꽃향기를 앞세워 퍼져 나가고 있다.

냉이와 호빵

입춘立春을 지나 우수로 가는 봄날 아침, 때늦은 눈발이 날리고 있다. 계절의 경계선은 무너진 지 오래고, 갈수록 자연 현상이 질서를 잃어간다. 무분별한 개발과 오염으로 자연이 중병을 앓고 있다. 이러다 지구의 종말이라도 올 것 같은 불길한 예감마저 든다.

봄이라고 하지만 어디에도 봄 같은 징후가 없는데, 아침 밥상에 봄나물이 올라왔다. 겨우내 온상에서 재배한 듯 보이나, 제법 상큼한 봄 냄새를 풍긴다. 파랗게 윤기가 흐르는 냉이 무침을 집어 들다, 문득 어린 시절 봄나물 캐러 갔던 일이 떠올랐다.

초등학교 6학년으로 기억된다. 졸업앨범 대금을 마련하기 위해 봄나물 캐러 가는 친구를 따라나선 일이 있다. 그때는 모두가 힘겨운 삶을 살았지만, 가난이 멸시나 부끄러움의 대상이 아니었다. 서로의 처지가 비슷하여 모든 일을 함께 걱정하며 의지하고 지냈던 시기였다.

토요일 오후, 친구를 따라 들녘으로 나갔다. 햇살은 도타워도 먼 산 잔설殘雪 탓인지 바람 끝이 매웠다. 양지바른 언덕 곳곳엔 먼저 온 아낙네들이 흩어져 봄나물을 캐고 있었다. 친구와 경쟁이라도 하듯 부지런히 철로 변을 오르내리며 봄나물을 캐 모았다.

이튿날 아침, 나물 보따리를 들고 시장으로 나갔다. 줄지어 앉아있는 사람들 틈에 끼어 점심도 거른 채 자리를 지켰지만, 아무도 관심을 보이지 않았다. 주변 사람의 나물은 간혹 사 가는 사람들이 있었지만, 우리가 풀어놓은 나물은 거들떠보지도 않았다.

저녁노을이 짙어갈 무렵, 건너편 채소가게 아주머니가 봄볕에 시든 나물을 받아 가며 돈을 주셨다. "발끝에 채는 것이 냉이와 쑥인데 다듬지도 않은 나물을 누가 사겠니?" 하시며 혀를 차셨다.

자리를 털고 일어났으나 턱없이 적은 금액이었다. 봄나물을 팔아서는 결코 앨범 대금을 마련할 수 없다는 생각이 들었다. 허기진 배를 안고 구멍가게 앞을 지나오다 하얀 김이 피어오르는 호빵을 보았다. 예쁘게 차려입은 아이들이 양손에 호빵을 들고 있는 포스터를 보니, 걸음이 떨어지지 않았다.

바람결에 날아오는 하얀 김을 마시며 군침을 삼켰지만, 호빵을 사 먹자는 얘기를 차마 꺼낼 수가 없었다. 한참을 망설이던 친구가 호빵 하나를 사더니 반쪽을 내밀었다. 미안한 마음에 선뜻 받아들지 못하자 나중에 졸업앨범이나 빌려 달라며 쓸쓸한 미소를 지었다.

평소에도 무척이나 먹고 싶었던 호빵이었다. 조금씩 뜯어서 입속에 넣으니 씹기도 전에 사르르 녹아들었다. 그때의 호빵 맛이 그리워 어른이 되어 아이들과 함께 여러 번 호빵을 사다 먹어봤지만, 예전의 그 맛이 아니었다. 같은 호빵이라도 반쪽뿐인 호빵은 특별한 맛을 지녔던 것 같았다.

봄은 해마다 돌아오지만, 우리 곁에는 다시 올 수 없는 것들도 많이 있다. 나지막한 담장을 사이에 두고 함께 어울려 살았던 이웃들이 생각난다. 봄나물을 캐러 갔던 옛 친구도 그리워진다. 사람들의 정은 가난 속에서 더 깊이 흐르는 것일까? 눈앞에 김이 나는 호빵 반쪽이 떠오르자 나도 몰래 눈시울이 붉어진다.

달맞이꽃

달이 뜨자 꽃은 잠에서 깨어났다. 교교皎皎한 달빛 아래 한 겹, 한 겹, 꽃잎을 펼치며 피어나는 모습이, 갓 시집온 신부가 잠에서 깨어나는 모양이다. 뽀얀 두 팔을 펼쳐 들고 기지개를 켜다 아침 햇살을 향해 수줍게 미소 짓는 형상이다.

달빛에 눈이 부셔 잠에서 깨는 경우가 흔한 일은 아니지만, 초가을 문턱에 들어서면 내겐 가끔 있는 일이기도 하다. 서늘한 바람과 자지러진 풀벌레 소리가 달빛과 함께 어우러지면, 쉽게 초저녁잠을 놓쳐버리게 된다.

한밤중, 잠에서 깨어나 보니 황홀한 달빛이 방안 가득 들어와 있었다. 베개는 저만치 달아나고, 덮고 있던 이불도 한쪽으로 밀려나 있었다. 나는 온몸에 푸른 달빛 자락을 휘감고 시체처럼 누워있었다.

갈증이 느껴져 물을 찾아 거실로 들어갔다. 그곳에도 달빛이 넘치도록 들어와 있었다. 목마름도 잊은 채 달빛이 그려놓은 풍경화에 넋을 놓고 말았다. 조금씩 주위가 선명해져 오자 나도 모르게 아! 하는 탄성을 질렀다.

탁자 위에 놓여있는 유리컵 속에서 놀라운 현상이 일어나고 있었다. 지난 저녁 집으로 돌아오는 길에 들녘에서 꺾어왔던 샛노란 달맞이꽃이, 한 겹, 한 겹, 꽃잎을 펼치며 되살아나고 있었다.

거실에 가득 찬 이글거리는 달빛과 맞서 요염한 자태를 한껏 뽐내고 있었다. 컵 속에 물을 받아 꽂아놓을 때만 해도, 시들어 고개조차 들지 못했던 꽃이 달빛을 받아 기적같이 소생한 것이다.

모든 꽃이 낮에만 피는 줄 알았던 내겐, 무척 놀라운 현상이었다. 깊은 밤 달빛 속에서 홀로 피어나는 꽃은, 보는 사람의 마음을 처연하게 했다. 무슨 기막힌 사랑의 비밀이라도 간직한 듯 애처롭기 짝이 없었다.

나는 달맞이꽃이란 이름을 오래전에 알았다. 생김새도 모른 채 예쁜 이름에 끌려 늘 청초하고 정갈한 모습을 그려왔다. 초가을 들녘에 지천으로 피어있는 그들 곁을 지나면서도 그들이 달맞이꽃인 줄 몰랐다.

 낮이면 꽃잎을 닫고 잡초처럼 서 있는 그들을 한갓 못생긴 풀꽃으로만 알았다. 화려한 모습 뒤에 숨겨놓은 추한 모습을 알아보지 못하는 내 우둔함이, 초라한 겉모습에 가려진 진정한 아름다움을 발견하지 못했다.

 꽃은 오래전 바다를 건너왔다. 무슨 사연으로 조국 칠레를 떠나왔는지 알 수는 없으나, 지금은 우리네 산야에서 터를 잡고 살고 있다. 코스모스와 함께 초가을 들녘을 장식해주는 이 땅에 귀화한 사랑스러운 꽃이다.

 강 언덕을 따라 무리 지어 피어있는 달맞이꽃을 보면, 꿈을 좇아 조국을 떠나온 외국인 노동자들의 모습이 떠오른다. 그들은 열악한 환경 속에서 편견과 멸시와 고통을 견뎌내고 있다. 가난한 나라의 근로자이기에 앞서 우리가 싫어하는 산업의 한 축을 담당해주는 고마운 사람들이다.

 달빛이 조화造化를 부린 탓일까? 샛노란 꽃잎 사이로 한 여인의 모습이 나타났다 사라지고 있다. 언제나 자신보다 나를 먼저 배려해주던 그리운 이의 모습이다. 자신의 정성이 내가 준 사랑에 못 미친다며, 어떠한 역경이 찾아와도 떠나지 않겠다던 사람이다.

 먼 지난날 그녀는 바다를 건너갔다. 부모님의 성화를 견디다 못해 쫓겨 가듯 이 땅을 떠나갔다. 그때만 해도 사랑보다 조건을 중시하던 사람들이 많아, 더러는 참된 사랑이 뿌리 내리지 못했다.

세상일 모두가 뜻대로 되지는 않지만, 언약을 지키려고 몸 부림치는 사람을 나는 끝내 지켜주지 못했다. 잡은 손을 놓쳐버리고 오랫동안 가슴앓이했던 지난 일들이 주마등走馬燈처럼 스쳐 간다.

한 차례 구름이 흘러가자 새로운 달빛이 쏟아져 들어온다. 달빛에 젖어 홀로 밤을 지새우는 거실에, 해묵은 그리움이 출렁이고 있다. 탁자 위 유리컵 속에서 달맞이꽃과 한 여인의 모습이 번갈아 피어난다. 일편단심 달맞이꽃 곁에서, 나를 기다려주던 그녀가 꽃이 되어 피고 있다.

겨울산행

이순耳順을 넘어서자 신체 곳곳에 적색 불이 켜지고 있다. 오랜 기간 사용하여 닳을 만큼 닳았다는 신호요, 서둘러 돌 봐달라는 구조요청이기도 하다. 앞만 보고 달려오다 겨우 숨 돌릴 만하니, 숨어있던 문제점들이 차례로 나타나는 모양이다.

산이 좋아 자주 산행을 다녔다. 100 산 등정을 목표로 이름난 산들을 무작위로 찾아다니기도 했다. 산행을 나설 때마다 친구들에게 함께 갈 것을 권유했지만, 모두가 꽁무니 빼기에 바빴다. 그랬던 친구들이 청하지 않아도 모여들고 있다. 너나없이 건강에 적색 불이 켜지기 시작한 모양이다.

오랜만에 달력에 아무런 표식도 없는 순백의 휴일을 맞이

했다. 자칫 한눈을 팔다간 순식간에 사라질 하루를 두고 서둘러 계획을 세우는데, 전화벨이 요란하게 울린다. 역시 하루도 빤한 날이 없다는 듯 불만스레 쳐다보는 아내를 등지고 수화기를 들었다.

"이 사람, 어떤가? 날씨도 좋은데 한줄기 타지." K 은행에 근무하다 지난달 명예퇴직名譽退職을 한 친구다. 의기소침해진 그에게서 명예퇴직이란 말을 들었을 땐 다소 거부감이 느껴졌다. 본인의 뜻과는 달리 마지못해 물러나는 일이 어떻게 명예로운 퇴직인지 이해가 되지 않았다.

지난겨울을 기점으로 친구들과 주변에 있는 산들을 오르기 시작했다. 가까운 곳이라 쉽게 다녀올 수 있고, 산이 험하지 않아 신통찮은 체력에도 무리가 없었다. 시간도 한나절이면 충분하고 모두가 부담 없이 즐길 수 있는 산행이었다.

내 고장 경주는 사방이 산으로 둘러싸여 있다. 동쪽엔 토함산과 명활산이 솟아 있고 서쪽엔 단석산과 선도산이 버티고 있다. 금오산과 고위산은 남쪽에서, 북형산과 어림산은 북쪽에서 천년고도를 지키고 있다. 이들을 중심으로 크고 작은 봉우리들이 어깨를 맞대고 겹겹이 둘러싸고 있다.

겨울 산은 어디로든 쉽게 오를 수가 있다. 큰 나무들이 많은 산은 가시덤불이 적어 나무 사이가 모두 길이 된다. 대부분 능선을 타고 오르지만, 가끔 계곡을 거슬러 올라가기도 한다. 속이 빈 얼음을 밟아 깨트리거나 얼음폭포에서 미끄럼 타는 재미가 숨어있기 때문이다.

좋아하는 놀이도 나이에 따라 달라지고 있다. 한때는 바둑과 낚시에 심취한 적도 있었지만, 노년으로 접어드니 가벼운 산행이 제격인 것 같다. 이런 산행마저도 힘겨워진다면 아마도 공원 산책이나 온천욕으로 빠져들 것 같다.

가고 싶으면 가고, 쉬고 싶으면 쉬고, 돌아서 내려온들 아무도 탓할 사람이 없다. 놀이를 겸한 산행이라 전혀 부담이 없다. 세상사 잊고 친구들과 어울려 한나절 산에서 즐기다 오면 되는 일이다.

겨울 산행에 맛을 들인 친구들이 휴일만 되면 전화를 걸어온다. 특별한 일이 없으면 함께 등산 가는 것으로 정해놓았기 때문이다. 시간에 맞춰 약속장소로 나가면 갖가지 형태로 중무장한 친구들이 모여든다. 얼어 죽은 조상이라도 있는 듯 겹겹이 껴입은 모양새가 절벽에서 굴러도 안전할 것 같다.

등산용 지팡이는 단체로 주문이라도 한 듯 모두가 들고 있다. 몇 친구는 두 개씩 들고 있다. "아따, 느그들 오늘 산

돼지 잡으러 가나?" "엄청난 중무장이네." 농담 섞인 한마디
에 너나없이 큰 웃음으로 화답하며, 한 주간의 스트레스를
날려 보낸다.

산속으로 들어가면 의외로 포근하다는 사실을 누구나 알
고 있지만, 가족들의 염려를 외면할 수가 없었을 것이다. 권
하는 대로 입고 걸치다 보면 집을 나설 무렵이면 너나없이
산적 같은 모습으로 변하게 된다.

약속 장소가 다방이면 차 한 잔이요, 포장마차면 콩국 한
그릇이 배급된다. "야! 오늘은 어느 산이고?" "우리가 목적
지가 있었나, 발길 닿는 대로 가는 거지." 말은 그렇게들 주
고받지만, 가능한 새로운 코스로 친구들을 안내한다. 먼저
일행의 건강 상태를 보고 코스를 정했다. 비교적 날렵한 친
구들이 많을 땐 다소 가파른 능선을 택하지만, 몸이 약한
친구가 끼어있으면 평탄한 코스를 선택했다.

산을 오르다 누군가 낙엽에 미끄러지면 즉각 집중포화
가 쏟아진다. "이 사람, 하체가 부실해 어디 밥이나 얻어먹
겠나?" "지난주 산행에 빠지더니 드디어 효험을 보는구먼."
"다 됐네~, 다 됐어~, 식은땀이나 삐죽삐죽 흘리고." 모두
가 한마디씩 하고는 그 자리에 주저앉아 폭소를 터트린다.
실컷 웃고 나서 따끈한 차 한 잔씩을 나눠 마시면 보약이 따

로 없다.

산에서 내려올 땐 절반이 미끄럼이다. 앞사람이 시작하면 모두가 경쟁하듯 뒤를 따른다. 두껍게 쌓인 낙엽 위에 솔가지나 배낭을 깔고 앉으면 순식간에 아래로 내려온다. 비록 짧은 순간이지만 유쾌하기 짝이 없다. 직장이나 집에서 어떤 근엄한 모습으로 지냈던, 산에서는 모두가 우스개 꾼이 된다. 나이를 떠나 동심의 세계로 들어서면 모두가 행복해진다.

산에서 내려와 석양을 등지고 산비탈 묵정밭을 지나오면, 모두의 표정이 한층 밝아져 있다. 힘들게 산을 오르내리며 건강에 대한 자신감이 생겼기 때문이다. 오늘도 친구들과 작당하여 산에서 기분 좋은 하루해를 보냈다. 동병상련의 몸부림이요, 즐거운 겨울 산행이었다.

두 얼굴

젊고 아름다운 여인을 가까이 두고 사는 일은 행복하다.

이웃집이라고 하지만, 직선거리로 따지면 10m 정도의 거리에 그녀가 살고 있다. 창문을 열면 나지막한 앞집 담장이 안기듯 다가선다. 가로놓인 6인치 블록담은 내가 거처하는 방의 벽보다도 얇고, 작은 소리도 수시로 넘나들고 있다. 그녀는 매일 밤 건넛방보다도 가까운 곳에서 잠을 잔다.

내게 천사처럼 보이는 그녀는 본시 우리 집 마당이었던 곳에서 살고 있다. 어렸을 적 나는 마당이 둘인 집에서 4대가 함께 살았다. 그 후 가세가 기울어 마당에 집을 네 채나 지어서 팔았다. 그 바람에 지금 남아있는 집 마당 모양이 L자처럼 생겼다.

동편에 길쭉하게 생긴 마당이 우리 집 텃밭이다. 요즘 한창 풀이 자라는 시기라 매일 아침 풀 뽑는 것이 일과처럼 되어있다. 오늘은 앞집 담장 밑에 돋아있는 풀을 뽑았다. 담 안쪽은 본채와 슬레이트 지붕으로 연결한 좁은 공간인데 부엌과 세면장으로 짐작된다.

담장 위쪽에 텃밭을 향해 작은 창문이 하나 달려있다. 평상시 늘 닫혀있던 창문이 오늘은 반쯤 열려있었다. 은근히 궁금증이 돋았는데 갑자기 아름다운 노랫소리가 들려왔다. 오랜만에 들어보는 여인의 감미로운 목소리에 잠시 일손을 놓고 감상에 들어갔다.

두어 달 전, 그녀가 앞집으로 이사 들어오는 것을 본 적이 있다. 40대 초반쯤으로 상당한 미모에 세련된 몸가짐을 하고 있었다. 대문을 나서려다 혼자서 이삿짐을 나르는 그녀를 자청하여 도와준 일이 있다.

걷어붙인 두 팔에 커다란 짐 보퉁이를 들었지만, 그녀의 아름다움은 조금도 손상되지 않았다. 미소 띤 얼굴에 송골송골 맺힌 땀방울이 오히려 건강미를 돋보이게 했다. 걸음을 옮겨놓을 때마다 살랑거리는 뒤태가 무척이나 매혹적이었다.

그녀를 따라 무거운 짐을 들고 여러 번 왕복했지만, 조금도 힘들지가 않았다. 오랜만에 느껴보는 운동을 겸한 기분 좋은 노동이었다. 짐을 나르는 동안 나는 또 다른 얼굴 하나를 몰래 숨겨두었던 것 같다.

　조금씩 노랫소리가 잦아들더니 한순간에 뚝 끊어진다. 이어서 찰박거리는 물소리가 들려온다. 아마도 세수를 하는 모양이었다. 예쁜 여자는 물소리도 참 곱게 낸다고 생각할 즈음, 갑자기 "팽" 하고 코 푸는 소리가 들려왔다. 코를 풀면서 아랫배에 힘을 잘못 주었는지 듣기 민망한 소리가 함께 터져 나왔다.

　갑작스러운 상황변화에 몹시도 당황스러웠다. 혹시라도 인기척을 느낄까 염려하며 발소리를 죽이고 급히 현장을 벗어났다. 어느 한 곳 빈틈이 없을 것 같았던 그녀의, 또 다른 얼굴 하나를 몰래 본 것 같았다.

무장사지 계곡

지혜로운 사람은 물을 좋아하고 인자仁者한 사람은 산을 좋아한다는 말이 있다. 나는 어느 쪽에도 속하지 않지만, 산과 물 모두를 좋아한다. 특히 울창한 숲속 맑은 물이 흐르는 계곡을 좋아하여, 해마다 여름철이면 거리를 불문하고 찾아다닌다.

어느 산 어느 계곡도 내게 실망을 준 적이 없었다. 힘들게 찾아갈 때마다 마치 신선이라도 된 것 같은 행복감을 안겨 주었다. 속세를 떠나 영원히 그곳에 머무르고 싶은 유혹을 느끼게 했다.

내 고장 경주에 무장사지 계곡이 있음을 최근에야 알았다. 계곡의 아름다움이 인터넷을 타고 전국으로 알려질 무렵, 내게도 때늦은 정보가 들어왔다. 지척에 숨어있는 천 년 비경을 모르고 힘들게 먼 곳을 찾아다녔던 셈이다.

서둘러 찾아간 무장사지 계곡은 사람을 쉽게 받아주지 않았다. 계곡으로 들어가는 입구를 큰 나무들이 가리고 있어 길에서는 보이지도 않았다. 마른 개천을 건너 왼쪽 산모롱이를 돌아가자, 멀리서 물소리가 들려오고 숨어있던 계곡 입구가 모습을 드러내 보였다.

도처에 이름 모를 꽃들이 피어있고 외줄기 오솔길이 관목들 사이로 몸을 숨기고 있었다. 나무들 사이로 간간이 흘러드는 햇살에 의지하여 숲안으로 들어가니 한차례 숲이 끝나는 곳에 널따란 계곡이 펼쳐져 있었다.

맑은 물이 쉼 없이 흘러내리고, 감미로운 새들의 지저귀는 소리가 귓전을 울렸다. 뒤늦게 찾아온 것이 서운했던지 계곡은 초입부터 한껏 매력을 발산했다. 무더위에 지친 방문자의 마음을 한순간에 사로잡아버렸다.

길은 냇물을 건너 다음 숲으로 연결되어 있었다. 신발을 벗어들고 물속으로 들어서니, 얼음처럼 차가운 물에 발목이 시렸다. 물속 너럭바위에는 다슬기들이 까맣게 몰려나와 놀고, 비단개구리들은 짝짓기에 바빴다.

물을 건너자 길은 반대편 산기슭을 돌아 끝을 알 수 없는 골짜기 속으로 이어져 있었다. 쓰러져 누운 고목 위로 칡넝쿨이 계곡을 건너가고, 물 한 모금 물고 달아나는 다람쥐를 시커먼 청설모가 뒤쫓고 있었다.

오랫동안 잘 감춰진 계곡이라 곳곳에 진귀한 약재들이 꽃을 피우고 있었다. 걸음을 옮길 때마다 향긋한 꽃냄새가 코끝을 스쳤다. 골짜기 안에서 불어나오는 바람은 차갑고도 맑았다. 겨울밤 바깥일을 마치고 방으로 들어오는 엄마의 치마폭에 묻어 든 바람을 생각나게 했다.

숨을 쉴 때마다 숲의 정기가 몸속으로 빨려드는 것 같았다. 정신이 맑아지고 시야가 밝아왔다. 기분이 날아갈 듯 상쾌하고 알 수 없는 자신감이 솟아올랐다. 자연과 함께하는 시간은 언제나 행복하기만 했다.

숲에는 그들만의 질서가 살아있었다. 거역할 수 없는 생로병사의 과정이 소리 없이 진행되고 있었다. 골짜기 곳곳에 기암괴석들이 자리 잡고 앉아 폭포수도 이루고 물웅덩이도 만들어놓았다. 모든 것이 철저하게 계산된 신의 섭리 같았다.

골짜기 안으로 들어가려면 신발을 벗어들고 여러 번 물을 건너야 했다. 그때마다 초대하지 않은 사람들에 대한 무언의 저항처럼 느껴졌다. 조심스레 찾아왔다가 흔적 없이 돌아가는 그런 사람들만 찾아왔으면 싶었다.

한 시간쯤 골짜기를 따라 들어가자 솟아오른 바위틈에 무장사지를 알리는 작은 팻말이 꽂혀 있었다. 그 무렵, 길 좌우를 번갈아 오가던 계곡이 오른쪽으로 깊숙한 골짜기를 만들고 한 폭의 절경을 펼쳐 놓았다.

골짜기 안에는 평화를 갈망하는 문무왕의 염원이 서려 있었다. 삼국통일의 대업을 완성한 왕이 병사들의 투구와 병장기를 거두어 그곳에 묻었다고 한다. 전쟁 없는 세상을 만들기 위해 스스로 무장 해제를 한 것이다.

팻말에 그려진 화살표를 따라 계곡을 건너가니, 산비탈에 좁다란 나무계단이 설치되어있었다. 아슬아슬하게 붙어있는 가파른 계단을 올라가니, 저만치 석탑과 귀부가 있는 곳으로 길이 갈라졌다. 어느 곳이든 가까운 거리에 있어 모두를 볼 수가 있었다.

신라 38대 원성왕의 아버지 김효양이, 문무왕을 추모하기 위해 이곳에 무장사라는 절을 지었다고 한다. 오랜 세월이 흘러 사찰은 흔적도 없이 사라지고, 보물로 지정된 삼층석탑과 귀부龜趺가 남아 전설을 증명해주고 있었다.

무장사지를 지나자 길은 급하게 오르막으로 변했다. 계곡은 서둘러 폭을 좁히고 흐르는 물도 눈에 띄게 줄어들었다.

반 시간쯤 경사진 길을 올라가니 갑자기 눈앞이 환해졌다. 한순간, 숲이 끝나고 하늘이 활짝 열렸다. 기나긴 동굴에서 벗어나 밖으로 뛰쳐나온 것 같았다.

무장사지 계곡의 끝은 하늘에 닿아있었다. 믿기지 않는 광활한 고원지대가 눈앞에 펼쳐졌다. 보이는 건 억새뿐, 사방을 둘러봐도 모두가 억새밭이었다. 사람의 키를 넘어서는 억새밭 속으로 길은 미로迷路처럼 이어져 갔다. 새하얀 억새꽃이 쉼 없이 바람에 날리고 있었다.

신神의 선물膳物

향기로운 꽃을 가득 피운 장미가 하나님에게 원망하는 투로 말했습니다. "하나님, 왜 하필 저에게 못생긴 가시를 주셨습니까?" 그러자 하나님이 대답하셨습니다. "장미야, 나는 네게 가시를 준 적이 없단다. 가시나무인 네가 불쌍하여 예쁜 꽃을 선물했을 뿐이란다."

교회 소식지에 실린 장미꽃 얘기를 읽다 깜빡 잠이 들었던 모양이다. 참새들이 다급하게 울부짖는 소리에 화들짝 놀라 일어났다. 창밖을 내다보니 처마 끝에 사는 참새들이 한꺼번에 몰려나와 소란을 떨고 있었다.

마치 둥지에 뱀이라도 침입한 것 같은 대 소란이었다. 처음 보는 그들의 집단행동이 몹시도 당황스러웠다. 수십 마리의 새들이 마치 데모라도 하는 모양새였다. 그때, 한줄기 맑고 감미로운 소리가 고막을 울렸다. 짹짹거리는 새소리를 가르며 황홀경에 취한 외줄기 고음이 귓속을 파고들었다.

어디서 낯선 새라도 왔는가 하여 살펴보았지만, 모두가 상기된 참새들뿐이었다. 특별한 것은 베란다 난간에 앉아 부지런히 날개를 떨어대는 참새 두 마리였다. 다른 새들은 무리를 지어 주변을 어지럽게 날고 있었다. 가만히 보니 발정기를 맞은 참새들의 짝짓기 행사였다.

난간 위에 앉아있는 두 마리가 암놈이고, 머리 위를 나는 새들은 대부분 수놈으로 짐작되었다. 날고 있는 새 가운데 한 마리가 암놈의 등위로 꽂히듯 내려와 앉았다. 순식간에 한 몸이 되어 온몸을 부르르 떨더니 다시 날아오른다. 이어서 다른 수놈이 내려와 같은 동작을 반복하고 있었다.

맑고 감미로운 소리는 암놈이 내는 소리였다. 수놈이 내려와 앉을 때마다 황홀경에 빠진 소리를 내었다. 평소에 짹짹거리기만 하던 그들도 사랑을 나눌 땐 달랐다. 절정의 순간엔 카나리아보다 더 아름다운 소리를 내었다.

봄날 아침, 베란다 주변은 생명을 잉태하는 몸짓들로 분주했다. 열린 창문으로 싱그러운 봄 냄새가 쏟아져 들어왔다. 나뭇잎 사이로 햇살이 반짝이고 텃밭을 나는 벌 나비도 날

갯짓이 바쁘다. 모두가 신이 내린 축복이요 선물이란 생각이
들었다.

신은 자신의 창조물創造物을 위해 필요한 모든 것을 선물
로 내려주셨다. 사람들이 간절히 구하는 것도 찾아내지 못
했을 뿐, 이미 주어져 있는 것들이다. 자꾸만 달라고 매달릴
것이 아니라, 감사하는 마음으로 찾아서 취할 일이다. 성서
에도 "구하라 주실 것이요, 찾으면 있을 것이라" 했다.

우리는 매일같이 새로운 날을 선물로 받고 있다. 오늘은
받은 선물이요, 내일은 받게 될 선물이다. 귀한 하루를 받고
도 감사할 줄 모르는 것은 당연히 주는 것으로 착각하기 때
문이다. 언제까지고 끝없이 줄 것으로 생각하지만, 내일은
분명 우리 것이 아니다.

언젠가 들었던 먼 나라 얘기가 생각난다. 아침마다 자신의
가게를 찾아오는 걸인에게 빵을 하나씩 주었다고 한다. 처
음엔 두 손으로 받아 가며 머리가 땅에 닿도록 절을 하더니,
며칠이 지나자 당연한 듯 받아 갔다고 한다. 한 달쯤 되었을
땐 늦게 준다며 화까지 내더라고 했다.

시간 저편엔 수많은 사건이 순서를 기다리고 있다. 그들은
예고 없이 찾아와 우리를 당황스럽게 만든다. 때로는 기쁨
을 안고 찾아오기도 하지만, 삶이 겸손하지 않거나 욕심이

지나치면, 감당하기 힘든 고통과 시련을 가져다주기도 한다. 모두가 신이 주는 선물이요 채찍이다.

세상에는 아직도 신이 내려준 수많은 선물 보따리들이 개봉을 기다리고 있다. 자연이 신비로움을 유지하는 것도 그 때문이다. 하나씩 선물이 공개될 때마다 인류는 경이로움 속으로 빠져든다. 신이 내린 선물에는 완벽하게 계산된 신의 섭리가 숨어있다.

봄날 아침, 참새가 받은 것은 황홀한 기쁨이다. 해산解産의 고통을 미리 보상하는 고마운 신神의 선물이다.

숲속의 하루

싱그러운 아침, 숲속으로 들어서면 정신이 맑아지고 기분이 상쾌해진다. 나뭇가지 사이로 햇살이 쏟아져 내리고, 골짜기 사이로 흐르는 물소리가 경쾌하기 짝이 없다. 아침을 알리는 새들의 지저귀는 소리에, 온몸의 세포들이 일제히 깨어나 맑은 공기를 마시며 기지개를 켠다.

숲이 좋아 숲 생태해설가 과정을 이수했다. 덕분에 남들보다 숲에서 생활하는 시간이 많아졌고 관심도 높아졌다. 숲속 생명체들을 조사하여 그 특성을 찾아보는 일도 재미가 있고, 찾아오는 사람에게 숲에 관한 얘기를 전해주는 일도 보람이 있다.

숲은 들녘 끝에서 시작하여 계곡을 따라 정상으로 퍼져나간다. 들녘과 맞닿은 산기슭은 언제나 주인 없는 영토다. 갈 곳 없는 키 작은 나무들이 모여들어 살고, 철 따라 야생화들이 군락을 이루고 피어난다.

관목들 사이로 낮게 엎드린 오솔길을 따라 들어가면, 숲 속 친구들이 하나둘 모습을 드러낸다. 눈에 보이는 건 우거진 초목들뿐이지만, 숲은 거대한 생명체들의 집합소요 생존 경쟁의 현장이기도 하다. 공생의 질서가 존재하는 듯 보이지만, 언제나 강한 자들이 살아남고 있다.

긴 세월, 숲은 보이지 않는 천이遷移 과정을 거치고 있다. 숲을 지배하던 생명체가 멸종되기도 하고 새로운 종족이 나타나기도 한다. 숲속 생명체들은 저마다의 특화된 방법으로 종족을 보존하고 있다. 산수국은 꽃술도 없는 가짜 꽃으로 벌 나비를 유혹하고, 개다래는 잎의 색깔을 바꿔 멀리서 꽃처럼 보이게도 한다.

신기하고 절묘한 그들의 생존 방법은 온종일 관찰해도 싫증이 나지 않는다. 숲은 찾아갈 때마다 새로운 지식도 전해준다. 가시 달린 엉겅퀴가 스코틀랜드 국화란 사실도 알게 해주고, 인동초의 꽃과 덩굴이 귀중한 약재로 쓰인다는 상식도 얻게 한다.

숲속 깊은 곳에는 비밀스러운 고요함이 존재하며 사유思

惟의 세계가 활짝 열려있다. 바깥세상과 다른 또 다른 세상이 펼쳐져 있다. 그곳에는 시간의 흐름조차 일정하지 않아, 순식간에 과거 속으로 빠져들기도 하고 미래를 향해 달려가기도 한다.

숲은 생명체의 근원지根源地요. 숲이 없으면 생명체들은 살아갈 수가 없다. 숲에는 사람을 건강하게 하는 요소들이 고루 갖춰져 있다. 숲이 파괴되면 생태계生態系의 교란이 오고 생명체들은 종말을 맞이할 수밖에 없다. 인류가 살아남기 위해서는 서둘러 보존되어야 한다.

숲은 모두가 돌아갈 삶의 종착지이기도 하다. 천명天命을 다한 생명체들이 찾아와 영원히 잠드는 곳이다. 양지바른 곳을 찾아 흩어져 누워있는 무덤들, 저마다 살아온 사연事緣을 안고 자연으로 돌아가고 있다.

숲속의 하루는 빠르게 흘러간다. 한낮이 끝나고 나뭇가지 사이로 저녁 햇살이 비쳐들면, 숲은 서둘러 밤을 맞을 준비를 한다. 둥지를 떠났던 새들이 돌아오고 꽃들도 하나둘 꽃잎을 닫아건다. 스산한 바람을 앞세우고 어둠이 밀려들면 숲은 또 한 겹의 세월을 낙엽 속에다 묻는다.

내 사랑 얼레지꽃

　나는 정숙하면서도 조금은 장난기 있는 여인을 좋아한다. 몸집이 크고 강건한 여성보다 연약하여 보호 본능을 부르는 여인에게 마음이 끌린다. 화려하게 치장한 눈부신 모습보다 소박한 옷차림에 고결함을 풍기는 모습에 더 눈길이 간다. 내가 얼레지꽃을 보고 첫눈에 반한 것도 그러한 까닭에서다.

　봄이 되면 수많은 꽃이 피었다 진다. 그들 중에는 사람들의 관심과 사랑 속에서 피어나는 꽃들도 있지만, 대부분 인적 없는 산야에서 소리 없이 피었다 진다. 세상 한편에서 말없이 살다 가는 사람들처럼, 저희끼리 옹기종기 피었다가 흔적 없이 사라진다.

얼레지 또한 깊은 산 속에 숨어 살면서 사람들과 어울리기를 싫어한다. 낯가림이 심하여 좀처럼 눈에 띄지도 않는다. 이른 봄, 켜켜이 쌓인 낙엽 속에서 긴 꽃대를 뽑아 올려 작은 보라색 꽃을 피운다. 두 장의 크고 두꺼운 잎사귀 사이로 수줍은 듯 꽃잎을 내밀고 피어난다.

싹을 틔운 뒤 5~6년의 긴 세월이 지나야 꽃을 피우지만, 꽃은 오래 가지를 않는다. 짧은 기간 피었다 지는 탓에 서둘러 찾지 않으면 만날 수가 없다. 어렵게 피어났다가 순식간에 사라지는 볼수록 애처로운 꽃이다.

꽃은 많아도 마음을 사로잡는 꽃은 드물다. 기름진 땅에서 철 따라 피어나는 꽃들은 쉽게 눈길을 끌지만 금방 싫증이 난다. 수수한 빛깔의 들꽃과는 달리 지나친 화려함이 오히려 시선을 오래 잡아두지 못한다. 향기 또한 너무 진하여 거리를 두게 만든다.

가장 먼저 봄소식을 전해오는 꽃이 바람꽃이다. 변산 바람꽃, 꿩의 바람꽃, 홀아비바람꽃…, 그들은 잔설 속에서 꽃을 피운다. 뒤를 이어 복수초, 노루귀, 얼레지, 현호색 등이 비슷한 시기에 피어난다. 큰 나무들이 햇빛을 가리기 전 서둘러 꽃을 피우고 씨앗을 잉태한다.

누가 붙여준 이름일까? 숨어서 피는 꽃들은 이름조차 예쁘다. 그들은 특별한 조건이 갖춰진 곳에서 무리를 이루고 살아간다. 쉽게 번식이 되지 않으나 드러내놓고 보호할 수도 없다. 희귀종이라면 사족을 못 쓰는 사람들이 많아 숨겨주는 지혜가 필요하다.

얼레지를 보면 장난기 많은 소녀 같은 느낌이 난다. 고깔모자를 쓴 동화 속 요정을 닮아 '숲속의 요정'이라 부르기도 하고, 꽃잎의 모양이 바람에 날리는 여인의 치맛자락 같다 하여 '바람난 여인'으로 부르는 사람도 있다. 잎 표면에 자주색 얼룩무늬가 있어 얼레지라 부르지만, 이름과는 달리 무척 앙증스러운 꽃이다.

야생화를 좋아하는 사람들은 마음속에 꽃밭 하나씩을 가지고 산다. 그곳에 갖가지 꽃들을 심어놓고 때가 되면 그들을 찾아 나선다. 철 따라 많은 꽃소식이 전해오지만, 특별히 안부가 궁금해지는 꽃이 있다. 이리저리 수소문하여 만날 계획을 세우면 순식간에 봄이 깊어간다.

이른 봄, 동호인들과 함께 얼레지꽃을 찾아 나섰다. 깊은 산속에 차를 세워놓고 계곡을 거슬러 올라갔다. 산비탈 덤불을 헤쳐가며 한 시간쯤 올라갔을 때, 양지바른 산등성이에 작은 군락을 이룬 얼레지를 발견했다.

갑자기 회갈색 능선이 불을 켠 듯 환해지자 일행들의 입에서 "와!" 하는 함성이 터져 나왔다. 켜켜이 쌓인 낙엽 위로 보랏빛 꽃등을 밝혀 든 꼬마요정들이 일제히 마중 나와 있었다. 작은 고깔모자를 맞춰 쓰고 재잘거리며 웃고 있었다.

겨우내 참았던 그리움을 꽃으로 피워낸 양, 바람에 하늘거리는 모습이 볼수록 애잔했다. 모든 야생화가 그렇듯이 얼레지의 매력 또한 소박함에 있다. 오랜 세월 산속에서 형성된 아름다움이라 정갈하기 짝이 없다. 향기 또한 없는 듯 은은하여 가까이 다가서게 만든다.

꽃은 해마다 피어나지만, 갈수록 만남이 힘들어지고 있다. 산속 깊이 숨어드는 까닭에 찾아낼 수가 없다. 사라져가는 희귀식물이 아니라 주변에서 쉽게 볼 수 있기를 소망해본다. 창문을 열면 저만치 눈길이 닿는 곳에서 환하게 웃고 있는 그들을 보고 싶다.

사랑이 함께하는 시간은 순식간에 흘러가 버린다. 가까이 있는 꽃들과 인사를 나누다 보면 저만치 피어 있는 꽃들도 아는 체를 한다. 꽃송이마다 눈 맞춤을 하다 보면 어느새 작별의 시간이 다가온다.

인적 없는 산기슭, 이별을 재촉하는 바람이 분다. 서둘러 인증사진을 남기고 떠날 채비를 한다. 찾아왔던 흔적들을 지우며 쓰러진 꽃대를 세워주면, 두 살배기 외손녀처럼 옷깃에 매달리며 재롱을 떤다.

봄은 이제서야 시작되었지만, 먼 작별의 인사를 나눈다. 그들의 세상 나들이가 짧아 다시 볼 수가 없기 때문이다. 아쉬움을 남긴 채 산비탈 오솔길로 내려서면, 아이들만 남겨놓고 먼 길 떠나는 심정이 된다. 저만치 갈림길에서 뒤돌아보면 아직도 꼬마요정들이 손을 흔들며 서 있다. 산등성이 위로 보랏빛 눈물이 번져가고 있다.

PART 2

아빠라 불러주던 아이들

PART 2

아빠라
불러주던
아이들

사라진 명함名銜

　내겐 그 흔한 명함이 없다. 퇴직 후 삼식이 노릇이나 하고 있으니 당연한 귀결인지도 모른다. 규칙적으로 나가는 곳이 있어도 남에게 알릴 정도가 아니다. 그러다 보니 처음 만나는 사람과 인사 나눌 때가 무척 곤혹스럽다. 상대편의 명함을 받아 들고 메모지를 찾을 때가 한두 번이 아니다.

　현직에 있을 때는 내게도 명함이 있었다. 그러나 비교적 사용을 자제해왔다. 별것도 아닌 직함을 빼곡히 인쇄하여 다니며, 유명 인사를 자처하는 사람들 때문이었다. 그런 사람들을 볼 때면 인격이 의심스러웠다.

　세월 따라 명함도 많은 변화를 거듭해왔다. 크기는 물론 색깔이나 모양도 무척 다양해졌다. 본인의 사진이 박혀있거나 향기가 나는 명함도 있었다. 근래엔 음악 소리가 나는 명함도 보았던 것 같다. 자신을 소개할 때 쓰였던 작은 쪽지가 시대에 맞춰 화려하게 변천한 것이다.

가장 먼저 명함을 사용한 국가는 중국으로 알려져 있다. 아마도 세계 최초로 종이를 발명한 때문일 것이다. 서양에서는 루이 14세부터 사용되었고 활자로 인쇄된 명함은 루이 15세 때부터라고 한다. 우리나라는 개화사상가 유길준이 처음으로 사용했다고 전해온다.

장마가 오기 전, 지붕 수리를 하려고 업자에게 받아둔 명함을 찾았는데 보이지 않았다. 집안에 손댈 사람이라곤 없는데, 감쪽같이 사라져버렸다. 문득 함께 찾고 있던 아내가 지난 일을 상기시킨다. 오래전 그날도 명함을 찾느라 아내와 집안을 샅샅이 뒤졌던 적이 있다.

현직에 있을 때의 일이다. 집으로 찾아온 손님과 인사를 나누는데 책상 위에 놓아둔 명함이 통째로 사라져버렸다. 그 전날 인쇄소에서 찾아온 새 명함인데 보이지 않았다. 주변을 샅샅이 뒤졌지만 끝내 찾을 수 없었다.

골목 밖까지 손님을 배웅하고 돌아오는데 담장 밑에 두 아이가 머리를 맞대고 앉아 있었다. 발소리를 죽여 다가서 보니, 길바닥에 명함을 통째로 쏟아놓고 한 장씩 나누고 있었다. 크게 기침 소리를 내었더니 깜짝 놀라며 손을 등 뒤로 감춘다. 얼굴엔 온통 땟물이 흐르고 콧등엔 땀방울이 맺혀 있었다.

아이들을 데리고 집으로 들어오는데 자꾸만 웃음이 나왔다. 왜 허락도 없이 명함을 가져갔는지, 뭘 하려고 둘이서 나눴는지를 묻지도 않았다. 아이들을 씻기던 아내가 "어째서 아이들을 따끔하게 혼내주지 않아요?" 하며 나무라듯 말했다.

골목길을 벗어나면 큰길이 있고 길 건너편에 아이들이 자주 가는 구멍가게가 있다. 가게 주인은 어린아이들도 깍듯이 손님 대접을 해주는 친절하고 부지런한 사람이다. 가게 앞은 항상 깨끗이 쓸려있고, 물까지 뿌려놓아 지나다닐 때마다 기분이 상쾌하다.

어느 날 저녁 무렵의 일이다. 퇴근하여 집으로 돌아오니 대문 앞에서 놀고 있던 아이들이 달려와 매달렸다. 큰애가 "아빠, 돈 삼백사십 원만 주세요" 한다. 작은애도 덩달아 손을 내민다. 작은애는 돈으로 물건을 사는 것도 모르고 금액에도 관심이 없다. 무턱대고 오빠가 하는 행동을 따라 한다.

아이들은 보통 "아빠, 돈 백 원만 주세요." 또는 "이백 원만 주세요" 하는데 큰애는 항상 끝자리가 복잡하다. 아마도 아내가 돈을 달라고 할 때마다 무엇을 사는 데 얼마가 드는지를 정확히 셈해서 주었기 때문일 것이다.

삼백사십 원이 필요한 이유를 물었더니 동생의 과잣값을 포함하여 정확히 살 물건과 값을 얘기한다. 수치의 계산이 정확하여 기특하기 짝이 없었다. 지갑을 열었는데 공교롭게도 현금이 없었다. 엄마에게 달라고 하라니까 집안까지 따라오며 조른다. 용돈을 얻는 데는 아빠가 수월한 것을 알고 있는 것 같았다.

마침 인쇄소에서 명함을 찾아오던 길이라 한 장을 꺼내 뒷면에다 몇 글자 적었다. 아이들이 원하는 것을 내주면 내일 출근할 때 돈을 주겠노라고 썼다. 큰아이에게 이것을 가게 주인에게 가져가면 너희들이 갖고 싶은 것을 모두 살 수 있을 거라고 했다. 그러자 도무지 이해할 수 없다는 표정을 지었다. 물건을 사면 반드시 돈을 내야 하고 돈을 주지 않으면 도둑놈으로 아는 아이였다.

어느 날, 라면 한 상자를 외상으로 사 올 때였다. 함께 갔던 큰아이가 이상한 표정을 지으며 왜 돈을 주지 않고 나오느냐고 물었다. 다음에 줘도 된다고 말했지만, 외상이란 의미를 좀처럼 알아듣지 못했다.

한참 뒤, 명함을 들고 나갔던 아이들이 과자랑 장난감을 한 아름씩 들고 신이 나서 들어왔다. 평소에 갖고 싶었던 것들을 모두 산 것 같았다. 가져온 물건들을 바닥에 내려놓으며 큰아이가 잔뜩 들뜬 목소리로 말했다. "아빠! ~ 우리 부자네요~ 부자"라고 말했다. "왜?" 하고 물었더니 빙긋이 웃으며 책상 위에 놓인 명함 통을 가리켰다.

골목길

해 질 무렵 골목길로 접어들면 놀고 있던 아이들이 달려 나온다. "안녕하세요? ~ 아저씨 안녕하세요?" 어느 집 아이 할 것 없이 모두가 인사를 한다. 쳐다보는 눈망울들이 티 없 이 맑고 곱다. 장난감 말을 타고 노는 아이도 있고, 세발자전 거를 탄 아이도 있다. 흙 묻은 작은 손에 공깃돌을 쥐고 있 는 계집아이들도 보인다.

퇴근 후 집으로 돌아오는 길이면, 언제나 마주쳤던 골목 안 풍경이다. 결혼 후 처음으로 마련한 보금자리는 시가지를 벗어난 한적한 주택가에 있었다. 골목길을 사이에 두고 크 고 작은 초가집들이 마주 보고 서 있고, 싸리나무 울타리와 나지막한 돌담들이 어깨를 맞대고 있었다.

세월 따라 사람들이 떠나가고 또 찾아들면서, 골목 안 풍경이 몰라보게 달라졌다. 초가집들이 사라진 곳엔 기와집과 벽돌집이 들어섰고, 돌담들이 걷힌 자리엔 쇠창살을 박은 시멘트 담장이 경쟁하듯 솟아올랐다. 뛰어놀던 아이들 간 곳이 없고 골목길엔 적막감만 흐르고 있다.

순식간에 변해버린 골목 안 풍경이 낯설기 짝이 없다. 담장을 넘어 서로의 사는 모습을 지켜보며 의지하고 살았던 사람들, 모두 어디로 갔을까? 길섶을 따라 수줍게 피어나던 풀꽃들도, 싸리나무 울타리에 함께 어우러지던 호박꽃과 나팔꽃도 찾아볼 수가 없다.

늦은 저녁 베란다로 나서보면, 가로등 불빛 사이로 비틀거리며 걸어오는 이웃집 남자를 볼 때가 있다. 오늘도 지친 마음을 술로 풀어낸 모양이다. 마중나오는 아이는커녕 집안에 아무도 없는 것 같다. 열쇠 구멍을 찾아 더듬거리는 모습이 무척이나 외로워 보인다.

행복은 빈곤함 속에서 더 크게 꽃을 피우는 것일까? 모두가 지난날보다 풍요로운 생활을 누리고 있지만, 마음들이 더없이 가난해졌다. 골목길에 어둠이 내려도 창문에 불이 켜지지 않는다. 도란도란 얘기하는 소리도, 어린아이 울음소리도 끊어진 지 오래다.

무엇을 위해 가족들의 오붓한 저녁 시간마저 포기하고 살아야 할까? 삶이 힘겨웠던 지난날은 골목길에 생기가 넘쳐흘렀다. 해 질 무렵이면 집집이 저녁연기가 피어오르고 구수한 밥 냄새가 담을 넘어 퍼져나갔다.

　골목 어귀는 마중나온 아이들로 붐비고, 하나둘 보금자리를 찾아오는 그리운 사람들이 줄을 이었다. 저만치 어스름 속에서 기다리던 가족이 나타나면 아이들은 용케도 알아보고 달려가 안겼다. 과일이나 붕어빵이 든 누런 봉투를 받아 들고 뛸 듯이 기뻐하던 아이들, 모두가 행복감을 느낄 수 있었다.

　언제쯤 골목길에 아이들이 돌아올까? 그들의 환한 미소를 다시 보고 싶다. 어딘가 숨어서라도 있으면 좋으련만, 자꾸만 보기 어렵다는 생각이 든다. 열악한 환경이나 부모들의 이기심 때문에 아이들이 사라져 간다면, 인류는 종말을 향해 달려가는 것이다.

　젊은이들을 보면 최소한 아이를 셋은 낳아야 한다고 권유하고 있다. 하나는 외롭고 둘은 불안하다고 말하면, 지금이 어느 때인데 그런 소리를 하느냐며 쳐다본다. 아이를 기르는 데 얼마나 많은 시간과 돈이 들어가는지 아느냐고 반문하는 청년들도 있다.

지난날 나도 그들과 같은 생각을 했다. 적게 낳아 잘 기르는 것이 현명한 부모라고 판단했다. 70년대 초반, 지구가 사람들로 넘쳐난다며 정부에서 인구 감소 정책을 펼쳤다. 시대의 흐름에 맞춰 모두가 부러워하는 남매를 두었지만, 큰아이를 병으로 잃고 난 뒤 크게 후회했다.

큰길을 벗어나 골목길로 접어들면 마음이 평온해진다. 등 뒤를 쫓아오던 알 수 없는 불안감에서 벗어난 느낌이 든다. 먼 여행길에서 돌아오는 날, 차창 밖 풍경이 낯익은 모습으로 바뀔 때, 나도 몰래 느껴지던 안도감이 골목 가득 서려 있다.

해 질 무렵 적막감이 흐르는 골목길로 들어서면, 아이들이 달려 나오는 환상에 빠질 때가 있다. "안녕하세요? ～ 아저씨 안녕하세요?" 어느 집 아이 할 것 없이 모두가 인사를 한다. 아이들 속에는 장난감 말을 타고 달려 나오는, 이승을 떠나간 내 아이의 어릴 적 모습도 있다.

신호등信號燈

　태풍에 고장이 난 것일까? 네거리의 신호등이 교체되었다. 낯선 카메라도 여러 대가 설치되어 사방을 주시하고 있다. 불빛에 맞춰 가다 서기를 반복하는 차와 사람들, 신호등이 잠시만 멈춰도 순식간에 마비가 될 것 같다.

　한 무리의 아이들이 횡단보도 앞으로 몰려오고 있다. 똑같은 학원 로고가 찍힌 가방을 들고 왁자지껄 떠들며 장난을 친다. 길에다 침을 뱉거나 휴지를 버리는 아이들, 어른을 보고도 인사가 없다. 모두가 제멋대로 행동하며, 마치 어긋나기 시합이라도 하는 것 같다.

　지식을 담기 위해 양심의 곳간까지도 모두 비워낸 것일까? 아이들을 제어하는 신호등이 제 역할을 못 하고 있다. 인성이 바르지 못하면 지식은 오히려 독이 될 수가 있다. 학원으로 보내기에 앞서 양심의 신호등부터 고쳐 주어야 할 것 같다.

언뜻 돌아본 내 안의 신호등, 그곳에 불이 꺼진 지도 오랜 것 같다. 남달리 언행이 바르거나 생활이 정결해서가 아니다. 반복되는 일상 속에서 양심의 촉수가 무디어진 탓이다. 아무래도 날을 다시 세워야 할 것 같다.

녹색불이 깜박이더니 순식간에 적색 불이 들어온다. 통행 금지를 알리는 최후의 경고등이다. 멈춰 섰던 차들이 경쟁이라도 하듯 일제히 앞으로 달려나간다. 모두에게 주어지는 기다림의 시간, 작은 추억 하나가 신호등 불빛 속에다 자리를 편다.

딸아이가 네 살 때의 일이다. 텃밭에 옥수수를 심는 할머니 뒤를 따라다니던 아이가, 옥수수 한 알을 주워다 화단가에 심었다. 작은 돌멩이들로 동그랗게 표시해두고는 하루도 빠짐없이 물을 주며 정성을 쏟았다.

친구들을 데려와 귀한 보물이라도 숨겨놓은 듯 자랑하기도 했다. 조용하던 집안에 아이들의 출입이 빈번해졌다. 아침 일찍 깡통에 물을 담아 오는 극성스러운 아이도 있었다. 아마도 옥수수가 열리면 나눠 줄 것을 약속이라도 한 듯 보였다.

며칠 뒤, 제법 많은 봄비가 내리더니 텃밭 가득 초록빛 새싹이 돋아났다. 딸아이가 심어둔 옥수수도 건강하게 새싹을 펼쳐냈다. 아이는 기뻐서 어찌할 바를 모르며 동네방네 소식 전하기에 바빴다.

소문을 듣고 달려온 아이들이 교대로 자리를 지키며 떠날 줄 몰랐다. 아이들의 극진한 보살핌 속에 새싹은 하루가 다르게 자라났다. 보름쯤 지나자 키가 한 뼘이나 되고 길쭉한 잎도 네 장이나 나왔다.

토요일 오후, 퇴근하여 돌아오니 딸아이의 울음소리가 대문 밖까지 들려오고 있었다. 놀란 마음에 대문을 밀치고 들어서니 울고 있던 아이가 와락 달려와 안기며 서러움을 쏟아낸다.

"아빠, 내 옥수수가 죽었어요, 내 옥수수가 죽었어요."

우는 아이를 달래며 옥수수가 있던 곳으로 가보았다. 출근길에 볼 때만 해도 생생하기 짝이 없었던 옥수수가 두 동강으로 부러져 있었다.

깜짝 놀라 "아니! 누가 이랬어요?" 하고 어머니께 물었더니, 아마도 이웃집 고양이 짓인 것 같다고 하셨다. 옥수수에 물을 준다고 나간 아이가 비명을 지르기에 달려와 보니 이런 상황이었단다. 아무리 달래도 안 되고 텃밭에 있는 옥수수를 다 준다고 해도 울고만 있다고 했다.

참으로 난감한 일이었다. 엄마와 떨어져 사는 아이라 숨겨진 그늘이 언제나 가슴을 아프게 하던 터였다. 옥수수를 기르며 성격이 몰라보게 밝아졌던 아이였다. 엄마에게 받고 싶은 사랑을 옥수수에 쏟아부으며 자신을 위로받았던 것 같았다.

아무리 생각해도 쉽게 해결될 문제가 아니었다. 세상을 다 준다고 한들 정성을 다해 키웠던 옥수수와 바꾸려 할 것 같지가 않았다.

"울지 마라. 아빠가 옥수수를 살려줄게."

나는 아이를 달래기 시작했다.

"아빠가 살릴 수 있어요?"

"그럼, 강아지가 아플 때도 주사를 놓아 살렸잖니."

아이는 문득 지난 일이 생각난 듯 울음을 그쳤다.

"아빠 꼭 살려 주셔야 해요."

퉁퉁 부은 눈으로 애원하듯 나를 쳐다본다.

잠시 생각을 정리한 후, 방으로 들어가 윗옷을 벗어놓고 구급함을 들고나왔다. 동네 아이들과 딸아이가 지켜보는 가운데 옥수수를 치료하기 시작했다. 부러진 줄기에 빨간 소독

약을 바르고 흰 가루약도 뿌렸다.

아이를 위한 일이지만 왠지 마음이 편하지 않았다. 양심의 신호등에 적색 불이 켜졌다는 신호다. 그러나 멈출 수가 없었다. 이렇게밖에 할 수 없는 상황을 떠올리며 마음을 다독였다.

부러진 부분을 맞춘 뒤 조그마한 나뭇가지를 대고 반창고를 감았다. 잎은 시들어 축 처졌지만 줄기는 반창고의 힘으로 꼿꼿이 서 있었다. 오늘 밤만 자고 나면 내일은 틀림없이 살아날 거라며 아이를 안심시켰다.

그날 밤, 아이가 잠든 후 손전등을 들고 텃밭으로 나갔다. 부러진 옥수수와 꼭 닮은 옥수수를 찾아 그 자리에 옮겨 심었다. 끊어진 자리쯤에 소독약을 바르고 나뭇가지를 대고 반창고를 감아두었다.

계획이 철저할수록 마음의 불편은 커져만 갔다. 양심의 신호등이 계속해서 깜박거렸다. 자꾸만 아이를 상대로 죄를 짓는 기분이 들었다. 양심의 신호가 사고로 연결되지는 않지만, 무시하면 마음이 상처를 받는다. 아이가 입을 상처를 대신 받는다고 생각하며 마음을 추슬렀다.

먼 지난날 성탄절 밤에도 양심의 신호등에 불이 켜지곤 했다. 산타할아버지를 대신하여 선물을 챙겨줄 때마다 잠깐씩 적색 불이 들어왔다. 아이가 자라면 언젠가 들통날 일이지만, 머리맡에 양말을 펴놓고 기도하는 아이의 소망을 외면할 수가 없었다.

이튿날, 날이 밝기가 무섭게 화단으로 나간 아이가 탄성을 질렀다.

"아빠! 할머니! ~ 옥수수가 살아났어요."

"내 옥수수가 살아났어요."

지금껏 살아오면서 아이가 그렇게 기뻐하는 모습을 본 적이 없었다. 그때의 감동을 딸아이는 오랫동안 기억하며 살아갈 것이다.

벨 소리와 함께 신호등에 녹색불이 들어온다. 기다리던 사람들이 서둘러 횡단보도를 건너고 있다. 바쁘게 스치며 지나가는 사람들, 문득 서울에 있는 딸아이네 가족이 생각난다. 뇌리를 스쳐 가는 그리운 얼굴들, 제 어미를 쏙 빼닮은 네 살배기 외손녀가 맞은편 신호등 속에서 환하게 웃고 있다.

순수純粹

순수, 하나

세 살배기 외손녀에게 전화를 걸었다.

"여보세요." 오늘도 어김없이 외손녀가 전화를 받는다. 온종일 집안에서 지내다 보니 심심한지, 전화벨이 울리면 가장 먼저 달려와서 받는다.

"에이구 ~ 우리 연서 ~ 그동안 잘 지냈니?"

"네" 짧지만 시원스러운 대답이다. 제 할 말이 있으면 구구절절 사연이 긴데, 내가 묻는 말에는 늘 단답형으로 말한다.

밥은 먹었니? 키는 얼마나 자랐니? 몸무게는 늘었니? 엄마는? 아빠는? 한동안 통상적으로 주고받는 얘기가 끝나자 아이가 내게 말을 건넨다.

"할아버지 ~ 그런데 왜 전화하셨어요?" 그동안 내가 했던 말에는 중요한 내용이 하나도 없었다는 투의 말이다.

잠시 뜸을 들이다 "음~ 네 음성이 듣고 싶어서 전화했지"라고 말했다. 그러자 갑자기 침묵이 흐른다. 멀찍이서 아이의 잔기침 소리가 여러 번 들려왔다. 의아스러운 생각과 함께 아이의 건강이 염려되는데, 전화기에서 아이의 목소리가 튀어나왔다.

"흠,~ 흠,~ 할아버지 제 음성이 이래요"라고 말한다. 순수하기 짝이 없는 아이의 행동에 웃음이 터져 나왔다. 세상 사람 모두가 아이들 마음 같다면 천국이 따로 없을 것 같다.

순수, 둘

오랜만에 외손녀와 통화를 했다. 제 어미가 전화를 바꿔주자 "할아버지" 하며 한 옥타브 높은 소리로 반갑게 불러준다. 아무리 들어도 싫증이 나지 않는 목소리요, 세상 어떤 말보다 자주 듣고 싶은 소리다. 귀여운 외손녀의 얼굴이 눈앞에 떠오른다.

"그래." "우리 연서, 그동안 잘 지냈니?"

"네." 역시 짧고 명쾌한 대답이다. 평소 감기를 달고 사는 아이라 걱정이 많았는데 목소리를 들어보니 무척 건강해진 것 같다.

"할아버지는 네가 보고 싶어 몸살이 났는데, 연서는 할아버지가 보고 싶지 않았니?"

잠시 침묵이 흐르더니 "할아버지 ~ 몸살이 뭐예요?" 하고 묻는다. 갑작스러운 질문에 말문이 막혔으나 즉시 둘러대어 대답했다.

"음 ~ 몸살이란 감기 비슷한 거란다." 갑자기 아이가 무척 놀란 듯한 음성으로 말한다. "할아버지! 그러면 조심하셔야 해요."

감기 무서운 줄을 익히 알고 있는 아이다. 절로 웃음이 난다. 외손녀와 얘기를 나누다 보면 마음이 따라서 순수해진다.

순수, 셋

어버이날을 맞아 외손녀가 제 어미와 함께 다니러 왔다. 여러 달 보지 못한 사이에 키가 부쩍 자랐다. 통통하고 복스럽던 얼굴은 젖살이 빠져 갸름한 모습으로 변해가고, 조금씩 소녀티가 나고 있었다.

"연서 ~ 키가 많이 자랐네, 몸무게는 얼마나 되지?" "이십 킬로 왔다리 갔다리 해요." 어느새 대구 사투리에 물이 든 아이다.

"할아버지, 저 이제 머털이가 무섭지 않아요."

다니러 올 때마다 기르고 있는 개를 몹시 무서워했던 아이다.

"어떻게 무섭지 않게 되었니?" "학원에서 배웠니?" "아니에요, 자연스럽게 그렇게 됐어요."

아마도 요즘 『플랜더스의 개』란 동화책을 읽더니 생각이 바뀐 모양이다. 한 번만 개를 잡아 달라고 하기에 그렇게 했더니, 조심스레 등을 쓰다듬어 본다. 개가 꼬리를 흔들며 반가워하자 이내 친해져 버린다. 휴대전화기로 사진도 찍어주고, 함께 뜀박질도 한다. 그렇게도 무서워하던 머털이와 친구가 되었다.

순수, 넷

점심나절 전화벨이 울려서 받았더니 "할아버지" 하고 부르는 외손녀의 목소리가 들린다. 초등학교에 입학하면 일주

일에 두 번씩 내게 전화하기로 약속했던 아이다.

학교에서 돌아오면 개인 교습과 학원 수업을 받으러 다니고 있어 내가 먼저 전화를 걸 수 없는 형편이었다.

"할아버지, 제가 지난주에 전화를 못 드렸네요."

"미안해요."

"그래, 요즘 많이 바빴던 모양이구나, 학교생활은 재미가 있니?"

"네, 아주 재미있어요, 오히려 주말이 아쉬워요."

집에만 갇혀 지내다 또래 아이들과 어울리는 것이 무척이나 즐거운 모양이다. 한껏 해방감을 누리는 신이 난 음성이다.

"점심은 먹었니?"

평소 음식을 가려먹는 아이라 걱정스러운 마음에 물었더니

"네, 학교에서 급식을 먹었어요" 하고 말한다.

"그랬구나, 맛은 있었니?"

"네, 먹을 만했어요. ～ 남기지 않고 모두 먹었어요."

아이가 새로운 환경에 잘 적응해 나가고 있는 것 같다. 조금씩 세상을 배워나가는 모양이 대견하기 짝이 없다. 부디 지금의 순수함만은 영원토록 간직했으면 싶다.

의사의 말 한마디

　봄 감기가 유달리 극성을 부리고 있다.

　네 살배기 조카가 감기에 걸려 며칠째 병원에 다닌다. 제 어미를 따라 병원을 다녀오면 언제나 눈가에 마르지 않은 눈물 자국이 있다. 내가 "재명이, 주사 맞고 또 울었구나" 하고 놀려대면 무척 겸연쩍어하면서 어미 치맛자락 뒤로 숨는다.

　아이들이 주사를 맞고 우는 것은 아픔보다 주사에 대한 공포심 때문이라고 한다. 약이나 음식을 잘 먹지 않는 아이에게 병원에 데려가서 주사를 맞힌다고 겁을 주는데, 이러한 말들이 공포심을 키운다고 한다.

　오늘은 바쁜 제 어미를 대신하여 내가 조카를 데리고 병원에 갔다. 간호사가 부르는 소리에 아이와 함께 진료실로 들어가니, 의사가 아이의 윗옷을 걷어 올리며 가슴에 청진기를 갖다 댄다.

잔뜩 긴장하고 있던 아이가 지레 겁먹은 목소리로 "선생님 오늘 주사 안 맞아도 되지요?" 한다. 의사가 아이를 향해 빙그레 웃으며, 많이 좋아져서 오늘은 주사를 쪼끔만 맞아도 되겠다고 한다. 그러더니 곁에 있는 간호사에게 "오늘 재명이 주사 쪼끔만 놓아줘요" 하고 말한다.

잠시 후 주사실에서 바지를 잡고 나오는 아이가 두 눈이 멀쩡하다. 마치 아무런 일도 없었다는 듯 담담한 표정을 하고 있다. "주사는 맞았니?" 하고 물었더니 "예" 하고 대답한다. 울지 않는 것이 신통하여 아프지 않더냐고 물었더니 오늘은 쪼끔만 맞아서 괜찮았다고 한다.

의사의 말 한마디가 환자의 병세를 좌우한다더니, 이처럼 효과가 클 줄을 몰랐다. 말이란 어찌나 미묘한지 억양에 따라서 전혀 다른 뜻이 되기도 하고, 앞뒤로 순서만 바꿔도 듣는 사람의 기분이 달라진다.

참으로 지혜로운 의사라는 생각이 들었다. 요즘은 의술도 상업화하는 고도의 경쟁 사회다. 의술뿐 아니라 인품까지도 고루 갖춘 훌륭한 의사들이 더 많았으면 좋겠다. 권위 의식을 내려놓고 환자들의 불안한 마음까지도 배려할 줄 아는 존경받는 의사들의 모습을 상상해 본다.

양말 한 켤레

설날 아침, 새로 산 양말을 신다가 잠시 옛 생각에 젖는다. 세월이 흘러도 잊히지 않는, 어린 시절의 설날 풍경이 주마등처럼 스치고 지나간다.

명절을 앞둔 마지막 대목장이 밝아오면, 온종일 설빔 받을 생각에 기쁨에 들떠 지냈다. 그때를 생각하면 저녁 어스름 속으로 대목장 다녀오는 누렁이 황소의 방울 소리가 들리는 것 같다.

"덜그렁 떨렁, 덜그렁 떨렁" 큰길을 벗어나 마을 어귀로 들어서는 누렁이의 워낭소리가 들리면, 기다리던 아이들이 한걸음에 사립문 밖으로 뛰어나갔다. 첫닭이 울 무렵 읍내 장터로 떠났던 누렁이가, 마중 나온 아이들을 향해 반갑게 머리를 흔들며 길게 울음소리를 내뿜었다.

누렁이가 돌아오자 장거리를 부탁했던 이웃 사람들이 달려오고, 구경꾼들도 모여들었다. 처마 끝에 초롱불이 내걸리고 달구지에서 크고 작은 짐들이 내려지면, 아이들의 눈길은 설빔이든 보따리 찾기에 바빴다.

생각은 온통 설빔에 빠져 있지만, 제사용품을 구경하는 재미도 쏠쏠했다. 가장 먼저 커다란 사탕 봉지가 들려 나왔다. 입에 침이 마르는 할머니를 위한 상비약이다. 뒤를 이어 줄에 엮인 건어물과 제수용 과일들이 쏟아져 나오고, 산적거리 상어고기와 목침만 한 쇠고기 덩어리가 보이면, 모두가 풍성함에 놀란 표정들을 지었다.

부탁했던 물건들을 찾아 이웃 사람들이 돌아가면, 기다리던 설빔 보따리가 풀렸다. 하나씩 선물을 꺼낼 때마다 아이들은 환호성을 질렀다. 먼저 어른들의 선물을 챙긴 뒤, 아이들의 설빔이 나누어졌다. 공부를 잘해서, 동생을 잘 봐서, 심부름을 잘해서, 갖가지 이유를 붙여가며 설빔이 분배되었다.

마지막으로 모두에게 나누어주던 오색빛깔의 나일론 양말은 아이들을 함께 어우러지게 했다. 작지만 공평한 선물이라 받는 기쁨이 컸다. 나일론 양말은 색깔도 곱지만, 무척이나 질겼다. 오래 신어서 뒤꿈치에 구멍이 뚫려도 언제나 새것처럼 반짝거렸다.

　나이를 먹어도 설날이 다가오면 마음이 설렌다. 괜스레 대문으로 눈길이 자주 가고 전화벨 소리에도 귀를 기울이게 된다. 명절은 순식간에 다가오지만, 동네 분위기는 예전과 사뭇 다르다. 교통난을 피해 역귀성 하는 탓인지 이웃이 텅 빈 것 같다. 명절을 앞둔 골목길에 정적이 감돌고 있다.

　설날이 되어도 설빔을 차려입고 세배 다니는 아이들을 볼 수가 없다. 핵무기보다 무섭다는 저출산의 여파가 갈수록 커지고 있다. 집안 어른들은 하나둘 세상을 떠나고 오가던 친척들도 발길이 끊어졌다. 형제가 없으니 머잖아 사촌도 사라질 것이다. 믿고 의지할 사람은 줄어들고 경쟁자만 늘어나는 세상이다.

　설날 아침, 새로 산 양말을 신다가 잠시 옛 생각에 젖었다. 새 옷과 새 신발이 넘쳐나는 세월이 조금도 반갑지가 않다. 절실한 것일수록 얻어지는 기쁨이 큰데, 모두가 너무도 많은 것들을 채워둔 채 살고 있다.

　물질은 풍족한데 가슴 설레는 행복감이 사라져 버렸다. 삶이 가난해도 이웃과 함께 기쁨을 나누며 살았던 때가 그리워진다. 설빔으로 양말 한 켤레만 있어도, 명절 내내 행복했던 그 시절이 생각난다.

판정승判定勝

젊은 엄마와 네 살쯤 되는 사내아이가 치과 대기실에 앉아 설전을 벌이고 있다. 아이를 진료실로 들여보내려는 엄마의 노력이 집요하다. 사탕과 채찍이 번갈아 제시되고 있다. 아이스크림을 사주겠다고도 하고, 치료가 늦어지면 이빨을 뽑아야 한다며 겁을 주기도 한다.

진료받기를 거부하는 아이도 상당히 논리적으로 대응하고 있다. 이빨 속에 들어있는 벌레만 잡아내면 된다니까, 누가 들어가는 걸 봤느냐고 반문한다. 네가 잠잘 때 엄마가 봤다고 하니까 입을 삐쭉이며 빙그레 웃는다. 그런 엉터리 같은 소리로 놀리지 말라는 눈치다.

어린 것이 보통내기가 아니다. 한참을 망설이더니 어려운 결심을 한 듯 조건을 제시한다. 만약 의사가 벌레를 잡아내지 못하면 로봇 장난감을 사달라고 한다. 엄마가 주저하는 것으로 보아 제법 비싼 장난감인 것 같다.

한동안 줄다리기는 계속되고 있었다. 가끔 정곡을 찌르는 아이의 말에 엄마가 밀리기도 한다. 조기교육 탓인지 요즘 아이들은 영악하기 짝이 없다. 제 엄마를 상대로 흥정을 하려고 든다. 아이의 표정으로 보아 이빨 속에 벌레가 없다는 사실을 이미 알고 있는 것 같았다.

엄마가 대답을 망설이자 얼굴을 찌푸리며 아프다고 엄살을 떤다. 엄마의 약점을 정확히 파고든다. 곁에서 지켜보다 아이의 나이를 물었더니 네 살이라고 한다. 네 살배기 치곤 머리가 상당히 좋아 보인다.

간호사가 아이의 이름을 연거푸 불러대자 마침내 엄마가 두 손을 들었다. 울지 않고 치료를 잘 받고 나오면 로봇 장난감을 사주겠다고 약속한다. 아이가 환호성을 지르며 "할아버지도 들었지요?" 하며 옆에 앉은 나를 쳐다본다. 본의 아니게 증인을 서게 된 셈이다.

아이는 원하는 대답을 얻었지만, 표정이 그리 밝아 보이지는 않았다. 간호사의 손에 이끌려 진료실로 들어가는 아이의 표정이 묘하다. 실속은 저 혼자 차려놓고 흡사 패잔병 같은 모습이다. 얼굴에 걱정과 기대가 번갈아 나타나고 있다.

엄마는 의자에서 일어나 몹시 걱정스러운 얼굴로 아이를 기다리고 있다. 간헐적으로 흘러나오는 아이의 비명에 어쩔 줄 몰라 한다. 한참 뒤 아이가 치료를 마치고 나오자 안도의 표정을 지으며 등을 도닥여준다.

볼을 감싸 쥔 아이가 고통에 찡그린 얼굴로 로봇 얘기부터 꺼낸다. 혹시라도 있을 엄마의 변심을 막으려는 듯 보였다. 아니나 다를까 조금 전 치료실에서 왜 울음소리를 내었느냐며 은근히 약속 위반을 주장한다. 아이가 정색하며 아파서 우는 소리만 내었지, 눈물은 한 방울도 흘리지 않았다고 한다. 조금도 물러설 기세가 아니었다.

진료비를 계산한 엄마가 아이를 데리고 치과 문을 나선다. 아이의 발걸음이 가볍고 신이 난 것으로 보아 장난감 가게로 가는 모양새였다. 자식 이기는 부모가 없다더니 분명 아이의 판정승이었다.

좋은 엄마

허리 통증으로 며칠째 물리치료를 받으러 다닌다.

병원에 갈 때마다 치료실은 사람들로 만원이다. 모두 어디가 불편한지 50여 개의 침상에 빈자리가 없다. 한 사람이 나오면 즉시 기다리던 사람이 들어간다. 아마도 병원 수입의 대부분이 이곳에서 생겨날 것 같다.

한정된 공간에 더 많은 침상을 들이기 위해, 침대 사이를 커튼으로 칸막이해 놓았다. 겨우 한 사람이 지나다닐 통로만 남겨두고 침대가 빼곡히 들어차 있다. 얇은 커튼을 통해 옆 침대의 상황이 훤히 들여다보인다.

옆자리에 누워있던 노인이 치료를 마치고 나가자, 초등학교 일 학년쯤 되는 사내아이가 다리를 절룩거리며 들어온다.

아이 뒤를 따라 젊은 미모의 여성이 함께 들어오고 있다.

치료사가 보호자는 들어올 수 없다며 제지하자, 아이가 혼자 있으면 불안해한다며 낮은 목소리로 정중하게 사정한다. 치료사가 나에게 양해를 구하기에 괜찮다는 뜻으로 고개를 끄덕였더니 다소곳이 아이 곁에 앉는다.

옷차림이 단정하고 예의 바른 여성으로 보인다. 미소 띤 얼굴로 아이를 도닥거리는 손길이 자상하기 짝이 없다. 아이의 표정이 평온해지더니 스르르 눈을 감는다. 참으로 좋은 엄마라는 생각이 든다.

아이가 잠들자 손가방을 열고 책 한 권을 꺼내 든다. 곁눈질로 슬쩍 보니 책 표지에 '좋은 엄마'라고 쓰여 있다. 역시 그랬구나 싶었다. 좋은 엄마는 아무나 되는 것이 아니라는 생각이 들었다.

자신이 낳은 아이를 무책임하게 버리는 부모도 있다. 화를 참지 못하고 아이를 거칠게 다루는 여성을 보면, 모성애는커녕 엄마가 될 자격조차 갖추지 못한 사람으로 보인다.

냇물에 사는 꺽지나 바다의 가시고기도 자신이 낳은 새끼를 위해 목숨을 바친다고 한다. 알이 부화하는 동안 먹지도 못한 채 지느러미를 움직여 산소를 공급하다 끝내 탈진하여 생명을 잃는다고 했다.

아픈 아이는 있어도 문제 아이는 어디에도 없다고 했다. 좋은 엄마를 둔 아이는 출발부터가 다를 것이다. 사람이 태어나서 세 사람을 잘 만나면 성공할 수가 있다는데, 어머니와 스승과 배우자라고 했다. 좋은 엄마를 만나는 일보다 더 큰 행운은 없어 보인다.

요즈음 해외로 입양되었던 아이가 장성하여 제 부모를 찾는 얘기가 뉴스의 초점이 되고 있다. 더러는 유명인사가 되어 찾아오는 경우가 있는데, 뒤늦게 서로가 진짜 엄마라고 나서는 웃지 못할 모성애도 있었다.

초여름 구슬프게 울어대는 뻐꾹새는 다른 새 둥지에 낳아둔 자식을 생각하며 운다고 한다. 낳은 뒤 책임을 다하지 못한 사람보다는, 길러준 사람이 더 부모 자격이 있을 것이다. 외롭고 힘들 때 곁을 지켜준 사람이 진정한 부모일 것이다.

좋은 엄마는 아이를 화나게 하거나 반말도 하지 않는다고 한다. 가장 좋은 훈육 방법은 끊임없는 사랑이라고 했다. 비난이나 불평보다 칭찬과 격려가 아이를 더 바르게 성장시킨다고 했다. 책을 읽는 엄마 곁에서 평화롭게 잠든 아이의 표정이 참으로 행복해 보인다. 어디서나 착하고 예의가 바른 아이 곁에는 틀림없이 좋은 엄마가 있을 것 같다.

아빠라 불러주던 아이들

강변 산책로를 따라 네 살쯤 되는 사내아이가 자전거를 타고 간다. 흰색 운동복 차림의 젊은이를 따라 부지런히 페달을 밟고 있다. 도움 바퀴가 없어 위험한 듯 보이나 용케도 보조를 맞춰 달려가고 있다. 가끔 엉덩이를 들고 가속페달을 밟는 모습이 무척이나 귀엽다.

오르막을 만나자 갑자기 속력이 떨어지며 휘청거린다. 함께 가던 젊은이가 재빨리 팔을 뻗어 아이의 등을 밀어준다. 경사지를 벗어나자 "아빠 이제 혼자 갈 수 있어요" 하며 속도를 올린다. 젊은이는 한 번 더 힘껏 밀어주고는 서둘러 페달을 밟는다.

저만치 멀어져 가던 두 사람이 산책로를 벗어나 큰길로 접어들고 있다. 자전거 타기를 마치고 집으로 돌아가는 모양이다. 잠깐 사이 그들이 황금빛 저녁노을 속으로 사라져버렸다. 까닭 없이 마음이 허전해져 온다. 오랫동안 함께 했던 사람이 멀리 떠나간 느낌이 든다.

갑자기 두 사람의 처지가 부러워진다. 그들이 돌아가는 집에는 분홍빛 앞치마를 두른 젊은 아내가 저녁상을 차리고 있을 것이란 생각이 든다. 방에는 작고 예쁜 계집아이 하나쯤 잠들어 있을 것도 같다.

문득 지나간 젊은 시절이 떠오른다. 잘못 살아온 내 삶에 대한 후회가 물밀듯 밀려온다. 내게도 아빠라 불러주던 두 아이가 있었다. 나를 위해 저녁밥을 지어주던 예쁜 아내도 있었다. 그때는 아이들이 아빠라 불러주는 소리를 소중한 줄 몰랐다. 아내의 애교 섞인 투정도 달가워하지 않았다. 나는 행복에 빠진 채 행복을 모르고 살아왔다.

요즘 들어 아빠란 소리가 왜 그렇게 듣고 싶은지, 길 가는 아이가 제 아빠를 부르는 소리에도 가슴이 미어진다. 힘은 들어도 아이들을 키우며 살 때가 행복했다던, 어른들의 얘기가 생각난다. 돌이켜보면 그때만큼 행복했던 시기도 없었던 것 같다.

언제나 함께 있을 것으로 알았던 아내와 아이들이, 순식간에 세월 속으로 사라져버렸다. 그들과 함께했던 날들이 긴 듯하나 빠르게 흘러가 버렸다. 이젠 아빠라 불러주는 아이들도 없고, 애틋한 눈빛으로 반겨주는 아내도 없다.

간혹 시집간 딸아이가 아빠라 불러주긴 하지만, 멀리 떨어져 있는 탓에 허전함을 채울 수가 없다. 부르는 소리 또한 그때의 음성이 아니다. 무엇을 바라거나 의지하려는 소리가 아니다. 아빠라 부르는 말투 속에는 언제나 나를 염려하는 마음이 담겨있다.

함께 사는 가족이라 하여 늘 곁에 머물지도 않는다. 가끔씩 부대끼며 서로를 확인하지만, 대부분 자신의 계획에 맞춰 살아간다. 사랑을 주고자 해도 기회가 없다. 제 부모가 세상에서 가장 힘센 사람으로 알고 의지할 때가 최적의 시기다. 그때를 놓치면 아무리 사랑을 줘도 스며들지 않는다.

아이를 심하게 다그치는 젊은이를 볼 때가 있다. 그때마다 아이를 따뜻하게 품어 줄 것을 진정으로 권유한다. 지금이 아니면 다시는 가까이할 수 없다며, 보채고 다가설 때 무한히 사랑해 주라고 당부한다. 내가 지나온 삶 중에 가장 후회되는 일이 있다면, 아빠라 부르는 아이들을 따뜻하게 품어주지 못했던 일이라고 말해주고 있다.

어린 시절, 아버지는 늘 두렵기만 한 존재였다. 달려가 안기고 싶어도 마음뿐이었다. 밤늦도록 귀가를 기다려 놓고도 마중 인사가 끝나면 시야에서 벗어나기 바빴다. 두려움을 넘어 큰 사랑이 존재함을 알았을 땐, 모든 것이 늦어버렸다. 사랑은 무시로 주고받을 수 있는 것이 아니었다.

다시 돌아갈 수만 있다면 아빠라 불러주는 아이를 넷이나 다섯쯤 곁에다 두고 싶다. 그들과 함께 뒹굴며 아빠란 소리를 귀가 아프도록 들어보고 싶다. 한없이 아껴주고 사랑하며 행복한 가정도 만들어 보고 싶다. 아이들은 순식간에 자라나 홀로 서버린다는 사실을 명심하며, 후회 없는 젊음을 다시 살아보고 싶다.

PART 3

추억 속으로 날아간 새

PART 3

추억 속으로
   날아간
새

찔레꽃 연정戀情

가는 봄이 아쉬워 들길을 걷는다. 바람결에 실려 온 꽃냄새가 온몸을 휘감고 돈다. 향기를 쫓아 고갯길로 접어드니, 찔레꽃 지천으로 피어 주변을 하얗게 덮고 있다. 넝쿨 사이에 비집고 앉아 깊이 숨을 들이켜 본다. 감미로운 꽃냄새가 가슴 가득 차오른다.

인적 없는 들녘에서 찔레꽃을 만나면, 옛 친구를 보는 듯 반가움이 앞선다. 풍성하게 핀 모습이 넉넉해서 좋고, 소박한 모습의 새하얀 꽃잎들은 예쁘고 순결하다. 은은하게 풍기는 꽃향기는 아무리 마셔도 부족함이 느껴지는 먼 추억 속 향기다.

들녘을 지나온 바람이 고개 위로 불어가자 떨어져 누운

꽃잎들이 하늘 높이 솟구쳐오른다. 허공중에 흩어져 팔랑거리며 내려오는 꽃잎들, 오월 산천에 꽃눈이 내리고 있다. 먼 지난날 그 고갯길에도 꽃잎이 눈처럼 내렸다. 소녀의 머리 위에도 내 어깨 위로도 춤추며 내려와 앉았다.

중학교에 입학한 그해 봄이었다. 가정실습 기간에 황금빛 단추가 줄지어 달린 검은색 교복을 차려입고, 모표가 번쩍이는 교모를 쓰고 시골 외갓집으로 간 적이 있다. 그때만 해도 바라던 상급 학교에 진학하면, 큰 벼슬이라도 한 것처럼 자랑스러워했을 때다.

버스가 경유지 시골 장터에 도착하자 기다리던 사람들이 한꺼번에 몰려들었다. 손님들로 가득 찬 버스가 힘겹게 출발하자, 저만치 앞쪽에서 세일러복 차림의 소녀가 할머니의 손을 잡고 안으로 들어오고 있었다.

얼른 일어나 할머니께 자리를 양보했더니 무척이나 고마워하셨다. 소녀도 내게 몇 번이나 고맙다는 인사를 했다. 나는 소녀와 함께 할머니 곁에 나란히 서서 가게 되었다. 비슷한 또래의 소녀를 그토록 가까이서 본 것은 그때가 처음이었다.

해맑은 얼굴에 두 갈래로 땋은 머리가 세일러복과 어울려 무척이나 단아하게 보였다. 알맞게 오뚝한 코와 가볍게 다문 입술, 차창 밖을 내다보는 그윽한 눈빛이 마치 동화 속 주인공 같았다. 몰래 소녀를 훔쳐볼 때마다 얼굴이 달아오르고 가슴이 두근거렸다.

버스 내부는 돌아설 틈도 없이 비좁고 더웠다. 차가 흔들 릴 때마다 사람들은 이리저리 부대끼며 중심 잡기에 바빴다. 의자를 잡은 손에 힘을 주고 버텼지만, 자꾸만 소녀 곁으로 밀려났다. 소녀의 이마에도 땀방울이 맺히기 시작했다. 차창 밖에서 한 줄기 바람이 불어오자 소녀의 향기가 피어올랐 다. 은은한 찔레꽃 향기가 풍겨왔다.

종점이 가까워지자 여기저기 빈자리가 생겼다. 약속이라도 한 듯 소녀와 빈자리로 가서 나란히 앉았다. 설레는 마음에 별것도 아닌 얘기들을 주고받았지만, 잠깐 사이 오랜 친구처 럼 친해질 수 있었다.

소녀는 할머니와 함께 큰집으로 가는 길이라고 했다. 그녀 의 큰집은 종점에서 두 시간쯤 고개를 넘어가는 윗마을에 있었고, 외갓집은 오 리쯤 더 내려간 아랫마을에 있었다.

버스가 종점에 도착하자, 지체하면 어두워진다며 할머니 께서 길을 재촉하셨다. 서둘러 고갯길로 접어드니 만발한 찔 레꽃이 눈부시게 아름다웠다. 갓 피어난 새하얀 꽃잎이 저 녁 햇살을 받아 보석처럼 반짝이고 있었다.

걸음을 옮길 때마다 꽃향기가 온몸을 휘감고 올라왔다.

소녀와 함께 찔레순을 따서 먹으며, 떨어진 꽃잎을 모아 하늘 높이 던져 올리기도 했다. 산바람을 타고 허공으로 날아오른 꽃잎들이 눈 오듯 내려왔다. 소녀의 머리에도 내 어깨 위로도 춤추며 날아와 앉았다.

저녁노을이 사위어갈 무렵, 소녀의 큰집에 도착했다. 할머니께서 곧 날이 어두워진다며 떠나려는 나를 만류하셨다. 밤길이 무섭기도 했지만, 헤어지기 싫어서 망설이자 소녀가 빼앗듯 가방을 받아 들며 미소를 지었다.

소녀의 큰아버지께서 마당 한편에 보릿짚을 쌓더니 쑥대를 올려놓고 모깃불을 피웠다. 타닥타닥 경쾌한 소리를 내며 보릿짚이 타올랐다. 불길이 풀더미에 닿자 사방이 자욱한 연기와 쑥 냄새로 가득 찼다.

휘영청 둥근달이 떠오르고 마당에 커다란 멍석이 펼쳐졌다. 모두가 둘러앉아 삶은 감자를 곁들인 저녁밥을 먹었다. 식사 후 대청으로 자리를 옮겨 앉아, 소녀의 사촌들과 어울려 밤늦도록 얘기꽃을 피웠다.

산골의 밤은 순식간에 깊어갔다. 그만 놀고 자라는 어른들의 재촉에, 앉아있던 그대로 자리를 펴고 누웠다. 산바람이 닫아놓은 청문을 흔들며 지나가고 주위는 온통 풀벌레 소리로 가득했다.

방마다 불이 꺼지고 모두가 고른 숨소리를 내며 잠이 들었다. 먼 길을 걸어온 탓에 몹시도 피곤했지만, 쉽게 잠이 들지 않았다. 한참을 뒤척이다 곁에서 잠든 소녀를 내려다보았다.

희미한 달빛 속 소녀의 뽀얀 팔 하나가 내 허리춤에 닿을 듯 놓여있었다. 공연히 가슴이 뛰고 호흡이 가빠왔다. 긴 시간을 망설이다 잠결인 양 뒤척이며 살며시 소녀의 손을 잡아보았다. 보드라운 감촉이 전해오는 순간, 심장이 격하게 요동쳤다. 놀란 가슴을 진정하며 숨죽여 지켜봤지만, 소녀는 꼼짝도 하지 않았다.

바로 그 순간, 나를 올려다보는 반짝이는 두 눈동자와 마주쳤다. 소녀도 잠을 이룰 수가 없었던 모양이었다. 눈빛이 마주치는 순간 소녀는 황급히 이불 속으로 몸을 감춰버렸다. 펄럭이는 이불 속에서 그녀의 향기가 피어올랐다. 은은한 찔레꽃 향기가 풍겼다.

자리를 털고 일어서려는데 갑작스러운 돌개바람이 주변을 휩쓸며 지나간다. 떨어져 누웠던 꽃잎들이 하늘 높이 솟구쳐, 허공중에 흩어져 나비 떼처럼 날고 있다. 저만치 꽃잎 사이로 세일러복 소녀가 고개를 넘어가고 있다. 먼 옛날, 잠시 내게 머물렀던 청춘의 봄이 사라져 가고 있다.

그날이 오면

그날이 오면, 나는 설레는 가슴으로 추억 속 찻집을 찾아
가고 있을 것이다. 시가지 중심으로 들어서면 저만치 영화관
건물이 보이고, 맞은편 골목 입구에 찻집 간판이 삐죽이 고
개를 내밀고 있을 것이다. 아직도 그 자리를 지키며 오랜만
에 찾아가는 옛 손님을 반갑게 맞아줄 것이다.

건물 외벽에 설치된 삐걱거리는 나무계단을 오르면, 머릿
속에는 현재와 과거가 빠르게 교차될 것이다. 심장은 국경의
북소리처럼 다급하게 울리고, 오랫동안 소원했던 일 앞에서
결코 침착할 수가 없을 것이다.

굽이진 계단을 올라 좁고 긴 복도를 따라가면, 저만치 찻
잔 모양의 붉은 네온사인이 반짝일 것이다. 그때쯤이면 불빛

보다 먼저 마중을 나온 커피 향이 내 온몸을 감싸 안을 것이다. 나는 취한 듯 몽롱한 상태가 되어 아득한 옛 시절로 돌아가 있을 것이다.

찻집 안으로 들어서는 순간 재빨리 사방을 둘러보고는, 극장 앞 네거리가 한눈에 보이는 낯익은 자리를 찾아가서 앉을 것이다. 손님이 들어오면 신속하게 따라붙는 스무 살 남짓한 아가씨들, 그들이 부어주는 따뜻한 물 한 모금 마신 뒤, 의자 깊숙이 기대어 눈을 감을 것이다. 잠시 뒤에 나타날 추억 속의 여인을 그려보고 있을 것이다.

조금은 옛 모습이 남아 있겠지만, 많이도 변했을 것이다. 이국에서의 생활이 힘겨웠다면 나보다 더 늙었을지도 모른다. 어쩌면 가슴속 환상이 산산이 부서져 내릴지도 모를 일이다.

분명 양장 차림은 아닐 것이다. 단아하고 맵시 있는 한복 차림으로 나올 것이다. 그녀의 성품으로 보아 화려하지도 값싸 보이지도 않는 개량된 한복을 정갈하게 입고 있을 것이다.

예전처럼 지난날 그 자리에 앉아있는 나를 보고는 얼굴 가득 미소를 지을 것이다. 장난기 어린 눈빛으로 숨죽이며 다가와 살포시 내 어깨 위에 두 손을 올려놓을지도 모른다.

짧은 정적 속, 긴 사연을 담은 눈인사가 끝나면 습관처럼 두 손을 마주 잡고 재회의 기쁨을 나눌 것이다. 서로의 눈빛 속에서 지난날을 회상하며, 먼 인생길 돌아 이제야 만난 회한에 눈시울을 붉힐지도 모른다.

그 많은 추억을 가슴에 묻어두고 불쑥불쑥 찾아오는 그리움을 어찌하고 살았는지, 혹여 사랑했던 마음이 미움으로 변하지는 않았는지, 아이는 몇이나 되며 출가는 시켰는지, 사는 것은 어떠하며 아픈 데는 없는지, 잡은 손을 흔들며 무언의 질문들을 쏟아놓을 것이다.

만남의 격정이 잦아들면 자리를 고쳐 앉아 차를 주문할 것이다. 김이 나는 찻잔을 기울이며 잠시 애련한 마음들이 된다 한들 문제 될 것은 없을 것이다. 석양에 반사되는 흰 머리카락 위로 그리운 옛 모습을 그려본들 죄 될 일도 아닐 것이다.

시간이 흐르면 주름살 속에 숨어있던 옛 모습들이 조금씩 되살아날 것이다. 그때쯤이면 서로를 바라보는 마음도 한결 편해질 것이다. 하얗게 센 귀밑머리를 쓸어 올리며 지난 얘기들을 나눌 때, 무슨 말로 그때의 이별을 설명할 수 있을까? 참된 사랑은 놓아주는 것이라 하지만, 사랑했기에 떠나보냈다는 말을 믿어주기나 할까?

오랜 헤어짐이 가져온 서먹한 낯가림이 끝나면, 그녀만의 말투와 행동이 되살아날지도 모른다. 다시 보는 그녀의 매력 앞에서 나는 사춘기 소년처럼 즐거워할 것이다. 그녀가 등진 창문 너머로 저녁노을이 물들면, 한 줄기 억새꽃으로 앉아 있는 그녀를 보며 세월의 무상함을 절감하게 될 것이다.

가을빛 짙어가는 어느 날, 그녀와의 재회는 내 오랜 꿈이었다. 만나서 아름다웠던 지난 시절을 회상하며, 미처 나누지 못했던 이별의 찻잔을 함께 나누고 싶었다. 젊은 날 한때 서로에게 좋은 친구가 되었던 것을 감사하며, 평안한 여생을 바라는 작별의 인사도 전하고 싶었다.

그날이 오면, 나는 설레는 가슴으로 삐걱거리는 나무계단을 오르고 있을 것이다. 바람결에 흰 머리카락을 날리며 추억 속 찻집을 찾아가고 있을 것이다. 잠깐씩 멈춰 서서 가쁜 숨결을 고르며, 많이도 변해있을 그녀를 그려보고 있을 것이다.

카페에서

　내가 처음으로 가본 카페는, 서구풍의 우아한 분위기에
잔잔한 클래식 음악이 흐르고 있었다. 아늑하게 꾸며진 내
부와 인형처럼 예쁜 마담에게 반해, 언젠가 돈을 벌면 꼭 한
번 카페를 운영해 보리라 생각했다.

　그때의 꿈을 이순을 넘어 엉뚱한 곳에서 이루게 되었다.
카페의 모든 운영을 컴퓨터로 관리하는 인터넷 카페에서다.
내가 컴퓨터와 만난 것은 비교적 오래전 일이다. 전자공학을
전공하는 아들 덕분에 286 컴퓨터부터 알았지만, 나는 아직
도 컴맹이나 다름이 없다.

　제대로 된 카페 운영을 위해 컴퓨터에 능숙한 여인과 손을
잡았다. 그녀가 운영자 겸 마담이고 나는 아이디어를 제공

한 동업자다. 카페 문을 열던 날 많은 사람이 인사차 방문해 주었고, 그들이 남긴 덕담으로 한동안 카페에는 읽을거리가 풍성했다. 잊고 살아온 카페에 대한 꿈을 뒤늦게 사이버 공간에다 펼친 셈이다.

오랜 세월 몸담아왔던 일터를 떠나면, 마음껏 자유를 누려가며 편하게 살 것으로 생각해왔다. 그러나 퇴직하여 집에만 있어 보니 그다지 좋은 것만은 아니었다. 생활이 게으르고 무절제하여 건강을 잃고 방황하기에 알맞았다.

퇴직자의 장점은 자신에게 주어진 시간을 마음대로 계획하고 활용하는 것이라 했다. 하지만, 매일같이 주어지는 시간을 보람되고 즐겁게 보내기란 불가능한 일이었다. 혼자 있는 시간이 늘어나자 소외감만 들고 의미 없이 반복되는 일상이 싫었다. 기회가 주어진다면 다시 일터로 돌아가고 싶었다.

매일 아침 출근하던 일이 습관화된 탓인지, 그 시간이 다가오면 왠지 마음이 조급해졌다. 특별히 갈 곳도 없으면서 괜스레 허둥대는 자신을 발견하곤 했다. 보수는 없어도 자유롭게 출퇴근할 수 있고, 적당한 소일거리가 있는 일터가 필요했는데 때맞춰 카페를 개설하게 되었다.

24시간 문을 여는 그곳은 회원으로 가입하면 누구나 자

유롭게 드나들 수가 있다. 카페 내부는 여러 개의 방으로 나
누어져 있고 방마다 관리하는 사람들이 정해져 있다. 관리
자의 성향이나 내공의 깊이에 따라 제각기 특성 있게 방을
꾸며 놓고 손님들을 맞이한다.

　출입하는 사람들은 이름 대신 독특한 별명을 앞세우고 들
어와 카페 안은 늘 가면무도회장 같은 느낌이 난다. 방들을
한 바퀴 둘러보면서 관리자나 방문한 사람들이 올려놓은 글
들을 읽다 보면 순식간에 시간이 흘러간다.

　인터넷 카페는 같은 취미 활동을 하는 동호인들이 즐겨 찾
는 곳으로, 동일한 관심사의 글들이 많이 올라온다. 여러 사
람이 올려놓은 갖가지 삶의 지혜와 생생한 정보들을 얻을
수가 있다. 그곳에 자신의 견해를 써놓기도 하고 남들이 달
아놓은 댓글에 답장을 쓰기도 한다.

　내가 자주 찾아가는 방은 '세상 사는 이야기'란 방인데, 재
치 있고 유머 있는 글솜씨를 가진 젊은 여자가 주인이다. '사
이다'란 별명으로 더 많이 알려진 그녀는 주변에서 일어난
일들을 소재로 재미있게 글을 써서 올려놓는다. 견해가 다
른 사람이 댓글을 달아놓으면 반드시 답장도 해준다. 나는
그녀가 올려놓은 글을 보기 위해 심심하면 그녀의 방을 드
나들고 있다.

일상에서 아는 사람을 만나면 인사를 나누듯이, 카페 안에서도 자주 보는 닉네임과 마주치면 서로 아는 체한다. 명함 크기만 한 창을 띄워놓고 짧은 대화를 나누기도 하는데 이것을 채팅이라고 한다. 요즘 채팅을 전문으로 하는 이상한 사이트들이 생겨나 사회적 물의를 일으키고 있지만, 내가 운영하는 카페는 그런 곳과는 전혀 다른 곳이다.

며칠 전, 카페 안의 '분위기 좋은 방'이란 곳에 들어간 적이 있다. 그 방의 주인은 '예쁜쟁이'란 별명을 가진 여자인데 한 번도 얼굴을 공개한 적이 없었다. 그러다 보니 회원들 사이에 온갖 추측이 난무했다.

언제나 은밀하게 활동하는 그녀를 우연히 카페 안에서 마주쳤다. 정중한 인사말과 함께 정체를 밝히라는 쪽지를 띄웠더니 "ㅎㅎㅎ"란 기호만 남기고 사라졌다. 다음날 다시 그녀의 방을 찾았을 때 '얼굴 없는 만남'이란 글을 올려놓은 것을 볼 수 있었다.

"잎이 아닌 예쁜 꽃망울로 인사하는 목련처럼, 우린 얼굴이 아닌 마음으로 먼저 인사를 했네요"라고 시작된 그녀의 글은, 얼굴을 앞세운 만남보다 마음의 중요성을 얘기하고 있었다. 공연한 장난을 했다는 생각이 들어 다음과 같은 댓글을 남겨놓고 그녀의 방을 나왔다.

"알아요, 얼굴을 앞세운 만남보다 마음이 더 중요함을 ～
황혼을 향해가는 사람들은 얼굴보다 마음이 더 붉다는 것
도 알아요."

첫사랑의 편지

해묵은 서랍을 정리하다 오래된 편지 하나를 발견했다.

복주머니 모양으로 접힌 것인데, 색깔이 누렇게 변하고 물에 젖은 얼룩이 남아있었다. 편지를 펼쳐보는 순간, 만감이 교차했다. 잊고 살아온 학창 시절의 일이 생생하게 떠올랐다. 눈앞에 장대비가 쏟아져 내리고, 나는 빗속을 가르며 아련한 그때로 돌아가고 있었다.

사춘기를 맞아 낯선 변화들로 몸살을 앓고 있을 때, 등굣길에 한 여학생과 마주쳤다. 스쳐 지나가는 모습이 어찌나 예쁘던지 한동안 멈춰 서서 그녀를 지켜보았다. 왠지 낯설지가 않았던 그녀는, 가슴 깊이 숨겨둔 소녀와 너무도 닮은 모습이었다.

내가 소녀를 처음 보았던 곳은 시립도서관이었다. 미국의 작가 롱펠로우가 쓴 '에반젤린'이란 책 표지에서다. 슬픈 미소를 띤 애처로운 모습에 반해 무작정 집으로 책을 빌려왔다. 그날 밤, 얇은 습자지로 표지 속 얼굴을 복사한 뒤 수첩에 넣고 다니며 그리워했다.

그녀를 만난 후, 아침 시간이 무척이나 바빠졌다. 늦잠 때문에 꾸중이나 들었던 지난날과는 달리 머리를 감고 교복 바지에 줄을 세우느라 많이도 허둥거렸다. 서둘러 아침 식사가 끝나면, 마치 오랜 습관처럼 그녀와 마주쳤던 골목길에서 그녀를 기다렸다.

그녀는 늘 일정한 시간에 집을 나서는 것 같았다. 예상한 시간을 크게 벗어나지 않고 나타났다. 저만치 감색 교복 차림의 그녀가 하얀 옷깃을 반짝이며 걸어오면, 갑자기 얼굴이 달아오르고 가슴이 두근거렸다.

우연히 마주친 듯 태연히 그녀 곁을 지나치면, 그녀의 향기가 코끝에 풍겨왔다. 어쩌다 눈길이라도 마주치는 날이면 온종일 기쁨에 들떠 지내기도 했다. 매일 아침 그녀 곁을 스치는 짧은 순간이 더없이 행복하기만 했다.

여름 방학이 시작된 후, 여러 날 그녀를 보지 못해 안달이 났다. 그러던 중 우연히 학원에서 그녀를 만났다. 반가움에 눈길이 마주치자 흠칫 놀란 표정을 지었다. 문득 둘 사이에 알 수 없는 운명이 작용하는 것 같았다.

그녀가 서 있는 줄 끝에서 차례를 기다렸다. 수강 신청을 하면서 그녀와 함께 공부한다는 생각에 신바람이 났다. 그녀를 위해 열심히 공부할 것이란 다짐도 했다. 몇 번이고 운명의 신에게 감사도 드렸다.

수업이 시작되면 아이들은 앞자리를 비워둔 채 뒤쪽으로 몰려 앉아 장난질하기를 좋아했다. 종이에 무언가를 적어 여학생에게 던지는 아이도 있었고, 쉬는 시간이면 곁에서 얘기를 나누는 아이들도 있었다. 언제나 용기 있는 그들의 행동이 부러웠다. 일정한 거리를 두고 옆모습이나 훔쳐보는 자신이 한심스럽기만 했다.

여러 날을 고민하다 학생들이 즐겨 찾는 빵집에서 연애 박사로 통하는 친구를 만났다. 같은 학교에 다니지만, 그렇게 친한 사이는 아니었다. 국화빵을 사준 대가로 그가 써온 편지 한 장을 건네받았다. 집으로 돌아오기 바쁘게 방문을 걸어 잠그고 편지를 읽어보았다.

'미지의 소녀에게' 역시 연애 박사는 달랐다. 제목부터 근사하기 짝이 없었다. 자신을 소개하는 인사로 시작하여 서로 마음의 지팡이가 되어 잘 지내보자는 내용이었다. '마음의 지팡이' 그 또한 기발한 표현이었다. 나중에서야 모두가 '연애편지 쓰는 법'이란 책에서 베껴 썼다는 사실을 알았다.

이튿날, 아침부터 간간이 비가 내리고 있었다. 상기된 마음을 추스르며 집을 나섰다. 밤늦도록 옮겨 쓴 편지를 안주머니 깊숙이 챙겨 넣고, 애써 표정을 감췄다. 평소와 달리 맨 뒷자리에 앉아 강의를 들었다. 온종일 무슨 공부를 했는지 아무런 기억도 나질 않았다.

수업이 끝나갈 무렵 서둘러 강의실을 빠져나왔다. 그녀가 지나가는 골목에서 그녀를 기다렸다. 종잡을 수 없는 장맛비는 갈수록 빗줄기가 굵어졌다. 세찬 바람까지 불어 우산을 들었지만, 옷이 모두 젖어버렸다. 혹시라도 편지가 젖을까 봐 잔뜩 옷깃을 여미고 서 있었다.

한참 뒤, 골목 입구로 들어서는 그녀가 보였다. 몸을 숨기고 있는 길모퉁이를 지나갈 무렵 "잠깐만요" 하며 용기를 내어 불렀다. 그녀가 걸음을 멈추며 뒤를 돌아보았다. 흠뻑 젖어있는 내 모습을 보더니 두 눈을 크게 뜨며 놀란 표정을 지었다.

떨리는 손으로 주머니 깊숙이 들어 있는 편지를 꺼내 주었더니, 예상치 못한 상황에 그녀가 몹시도 당황스러워했다. 얼떨결에 그녀가 들고 있는 책가방 위에 편지를 올려주고는 황급히 자리를 벗어났다.

한동안 시간이 흐른 뒤 다시 그곳으로 돌아가 보았다. 텅 빈 골목길엔 정적만이 감돌고 있었다. 마침내 큰일을 해냈다는 안도감이 몰려드는 순간, 저만치 길 위에 떨어져 있는 편지가 보였다. 펴보지도 않았는지 복주머니 모양 그대로 있었다.

편지를 집어 들자 왈칵 서러움이 복받쳐 왔다. 괜한 일을 했다는 자책감에 견딜 수 없이 괴로웠다. 그녀를 다시 볼 수 없을 것이란 절망감마저 들었다. 빗줄기가 굵어지더니 순식간에 장대비로 변했다. 얼굴을 타고 흘러내리는 빗물이 눈물과 섞이며 서러움을 더했다.

멈춰선 듯 흘러간 세월이 어느새 반세기를 훌쩍 지나갔다. 오랜만에 읽어본 어설픈 편지 하나가 눈물을 핑 돌게 한다. 얼룩진 편지글 위로 그녀의 모습이 나타났다 사라진다. 어디서 어떻게 살아가고 있을까? 다시는 돌아갈 수가 없는 첫사랑 그 시절을 회상해 본다.

월급月給날

월급봉투를 처음으로 받아 든 날은 1973년 3월 25일이었다. 대학을 졸업하던 그해 공립 고등학교로 발령을 받아 그곳에서 받은 것이다. 고액권인 만 원권 지폐가 처음 발행된 직후라 봉투는 얄팍했지만, 내 힘으로 받은 첫 월급이라 가슴이 뿌듯했다.

월급날이 다가오면 은근히 신바람이 났다. 그즈음 직장인들의 월급날은 대부분 25일이었다. 그 무렵이 되면 지역사회도 덩달아 활기를 띠었다. 월급날 아침이면 가족들의 관심이 내게로 집중되고 밥상도 푸짐하게 차려져 나왔다.

월급날 사람들의 몸놀림은 보통 때와는 다르다. 모두가 맡은 일에 집중하고 윗사람에게도 한결 공손해진다. 기세등등

한 아내의 잔소리가 한풀 꺾이는 걸 보면, 돈으로 귀신도 부린다는 말이 틀리지 않아 보였다. 지금은 월급날과는 전혀 무관한 사람이 되었지만, 달력을 보면 가끔 그 시절이 그리워진다.

월급날의 하루는 무척 빠르게 흘러갔다. 순식간에 퇴근 시간이 다가오고 서무과에서 월급 받아 가라는 전갈이 온다. 월급에서 내가 쓸 돈은 얼마 되지 않지만, 차례를 기다리며 온갖 계획을 세워본다. 아내와 아이들에게 줄 깜짝 선물도 생각해보고, 신세 졌던 사람들에게 보답할 방법도 계획해본다.

이리저리 짜 맞추다 보면 늘 턱없이 부족한 금액이었다. 몇 차례 직장을 옮겨 보기도 했지만 어디서나 비슷한 금액을 받았다. 남의 사정을 어찌 그렇게도 잘 알던지 돈이 떨어질 무렵이면 정확히 먹고 살만큼의 월급을 주었다.

월급봉투를 받아들고 자리로 돌아와 앉으면 세상 어느 부자도 부럽지가 않았다. 잠시 뒤면 쓰일 곳을 찾아 대부분 떠나갈 돈이지만, 손가락에 침을 발라가며 한 장씩 세어보는 즐거움은 어디다 비교할 데가 없었다. 모두가 그 맛에 월급 쟁이 생활을 한다고들 했다.

월급날, 퇴근 무렵의 정문 앞은 찾아오는 사람들로 붐볐다. 일찍 들어오라는 아내의 당부를 되새기며 직장을 나서지만, 기다리던 사람들이 다투어 앞을 가로막는다. 면면을 쳐다보면 모두가 아는 얼굴들이다. 할부 책 장사, 우유배달 아줌마, 술집 마담 등 모두가 함박웃음을 지으며 아는 척을 한다.

월급날은 되도록 사람들을 만나지 않는 것이 상책이다. 외상값을 갚은 뒤 장부에 이름이 지워지면 재빨리 그곳을 벗어나야 한다. 돈푼깨나 생겼다고 겉멋을 부렸다간 어느 귀신에게 잡혀갈지도 모른다.

서민들의 돈은 한곳에 머물지를 않는다. 특별히 주인을 정하지도 않아 믿을 수가 없다. 수중에 있을 때는 내 뜻대로 움직이나, 남의 손에 넘어가는 순간 안면을 바꿔버린다. 차갑고 인정머리 없는 돈이지만 모두가 그를 쫓아 평생을 헤매고 있다.

대학 동기생인 K 선생 집에 가면, 벽에 걸린 액자 속에 만원권 지폐 한 장이 들어있다. 처음엔 희귀한 화폐라도 수집하는 줄 알았는데, 첫 월급으로 받은 돈을 기념으로 보관한 것이라고 했다.

그와 나는 같은 학교에 첫 발령을 받았다. 그때 받은 첫 월급이 삼만천 원이었다. 한 달 하숙비가 이천팔백 원을 했으니, 만 원이면 석 달 하숙비가 넘는 큰 금액이었다. 나는 그런 생각을 해낸 K 선생이 무척 부러웠다. 지금의 화폐 가치로 따지면 바보 같은 짓이지만, 뜻깊은 기념품이라 생각했다.

처음 직장생활을 시작한 딸아이가 첫 월급으로 속옷을 사 보냈다는 전화가 왔다. 첫 월급을 받으면 부모님께 내의를 선물하는 일이 언제부터 시작되었는지는 모르나 오래전 나 또한 그렇게 했다. 크게 부담도 되지 않고 부모님께 따뜻한 속옷을 선물한다는 의미가 좋았던 것 같다.

딸에게 만 원권 한 장을 기념으로 잘 보관해 두라고 했더니, 지금은 월급이 통장으로 입금되고 명세표만 받는다고 한다. 편리한 것도 좋지만 왠지 각박한 느낌이 들었다. 받은 월급을 만져보지도 못한다니 무슨 재미로 직장생활을 하는지 궁금했다.

서민들에게 월급봉투란 특별한 의미를 지닌다. 어느 봉급자의 미망인이 평생 모아둔 남편의 월급봉투를 시신과 함께 화장했다는 기사를 본 적이 있다. 또 다른 사람은 남편이 건네준 월급봉투 속에, 만 원권 한 장씩을 남겨두었다가 퇴직 후 어려움이 닥쳤을 때 유용하게 썼다는 얘기도 있었다.

급변하는 세월을 따라 월급날도, 지급 방법도, 천차만별이 되었다. 월급날이 되면 통장으로 정확히 현금이 들어오지만, 며칠 지나면 알아서들 빠져나가고 푼돈만 조금 남아있다. 서민들의 통장은 너나없이 돈이 잠시 머물렀다 가는 간이역 같은 존재일 뿐이다.

월급날은 존재하지만, 월급날의 낭만이 사라져버린 지는 오래다. 머잖아 월급날마저 없어질 것이라고 한다. 사회가 다양하게 발전되면서 특화된 일자리가 늘어나면, 자기만의 직업을 갖는 시대가 온다고 한다. 문득 어디선가 읽었던 "앞으로의 사회는 직장은 없고 직업만 있다"라는 글귀가 떠오른다.

그 집 앞에서

막다른 골목 왼쪽 세 번째 집, 낡은 철 대문 앞에서 걸음을 멈춘다. 낯익은 골목 입구를 지나다 불현듯 떠오른 옛 생각에, 나도 몰래 발길이 옮겨졌다. 무엇에 홀린 듯 멈칫거리며 취해진 나의 행동이다. 부질없는 일인 줄 뻔히 알지만, 아직도 그녀의 집이 그곳에 있는지 궁금해진 탓이다.

굽이진 골목길을 돌아드니 갑자기 눈앞이 밝아왔다. 담을 넘어 골목으로 뻗어 나온 늙은 산수유 가지 하나가, 온몸에 꽃등을 켜고 골목길을 환하게 밝혀주고 있었다. 나와 첫인사를 나눌 땐 담장 밖에선 보이지도 않았던 나무가 어느새 고목으로 변해있다.

대낮이나 골목길엔 적막감이 흐르고 있었다. 뛰노는 아이들도 지나가는 사람도 보이지 않았다. 인기척이 울려도 개 한 마리 짖지 않는다. 텅 빈 골목길 꼭꼭 닫힌 대문들 모두가 빈집처럼 보인다.

지난날 거대한 성벽처럼 내 앞을 가로막던 철문은 아직도 그 자리에 있었다. 녹슬어 구멍이 뚫리고 한쪽으로 기운 듯 보이나 분명 그 대문이었다. 구석진 자리마다 덧칠한 페인트가 뒤엉켜 세월 속에 굳어 있었다.

문패를 보니 아직도 주인이 바뀌지 않았다. 옹고집이 연상되는 이름 석 자가 그대로 적혀있었다. 살아있다면 백수에 가까운 나이다. 문틈으로 엿보니 사람이 사는 모양새가 아니다. 오랫동안 버려진 빈집 같았다.

마당엔 풀이 자라있고 주인 잃은 가재도구들이 곳곳에 흩어져 있었다. 대문은 물론 수시로 여닫는 작은 출입문까지 굳게 잠겨있었다. 한사코 만남을 거부하던 그 어른을 보는 것 같았다. 가족들의 권유조차 끝내 뿌리치던 사람, 아직도 살아 계실까? 문득 생사가 궁금해졌다.

자신의 고집대로 딸의 혼처를 정했지만, 크게 후회했다고 한다. 딸이 남편을 따라 마음에도 없는 이민을 떠나자, 갑자기 병을 얻어 문밖출입도 못 한다고 들었다. 모두가 부질없는 아집일 뿐, 자식의 미래는 강요할 수가 없는 일이다. 자식이 원하는 일과 자식을 위하는 일이 반드시 일치되지는 않는다.

해묵은 그리움에 이끌려 남의 집 대문 앞에 서 있다. 고희를 넘어 망령이 들어도 한참 들었다. 하지만 과거 없는 사람이 어디 있으랴? 어쩌다 떠오르는 추억 한 조각 없다면 노년을 무슨 낙으로 살아갈까?

젊음과 사랑은 한 떨기 꽃과 같아 순식간에 피었다 사라진다. 돌아보니 어느새 아득한 세월 저편의 얘기다. 퇴색되어 가는 집안의 흔적들, 지난 일들이 주마등처럼 스치고 간다. 원망도 미움도 아닌 가버린 젊음이 서럽다.

인기척에 놀라 돌아보니 학원 로고가 찍힌 똑같은 가방을 멘 두 아이가 바쁘게 지나가고 있다. 묻지도 않았는데 "할아버지, 그 집에 아무도 없어요" 하고 말한다. "이사를 하였니?" "아니요, 그런데 몰라요." 한창 친구들과 어울려 놀아야 할 귀여운 꼬마들이다.

경쟁자는 많아도 형제나 친구들이 귀한 아이들, 바쁘게 걸어가는 모습이 안쓰럽기 짝이 없다. 조기교육에 빠진 부모들이 아이들을 끝없는 경쟁 속으로 내몰고 있다. 먼 훗날 저 아이들은 어떤 추억을 안고 살아갈까?

늙었어도 아름다운 꽃을 피운 산수유, 오랜만에 찾아온

사람을 혼자서 반겨주고 있다. 꽃가지 사이로 나를 이끌며
아득한 추억 속으로 데려가고 있다. 노란 산수유 꽃잎이 바
람에 지고 있다. 낡은 철 대문 앞에도 내 머리 위에도 새로
운 추억이 되어 날아와 앉는다.

백 원의 인사

간이정류장에 마련된 기다란 나무 의자에 앉아 버스를 기다리고 있다. 그동안 다니던 치과가 인근 도시로 옮겨가는 바람에 치료차 방문했던 길이다. 처음엔 교통편을 몰라 불편했지만, 지금은 제법 익숙해진 나들잇길이다.

저만치 한 중년 부인이 도로를 건너오고 있다. 날렵한 걸음걸이로 빠르게 다가오더니 '털썩' 내 옆자리에 손가방을 던지듯 내려놓는다. 곁눈으로 보니 무슨 좋지 않은 일이라도 있는지 몹시 근심스러운 표정을 하고 있다.

잠시 뒤, 가방 속에서 동전 몇 개와 만 원짜리 한 장을 꺼내 들더니 무척 난감해한다. 이리저리 주변을 살피더니 "아저씨, 시내버스 만 원짜리도 거슬러줘요?" 하며 내게 말을 건넨다.

대수롭지 않게 생각하며 "당연히 그러겠지요"라고 대답했다. 그러나 상황을 떠올려보니 간단한 문제가 아니었다. 짧은 시간에 많은 사람이 타고 내리는데 운전을 하면서 거스름돈을 챙겨주기가 쉽지 않아 보였다.

문득 처음 이곳에 왔을 때의 일이 떠올랐다. 그 당시 내 처지가 저 여인과 같았다는 생각이 든다. 버스를 기다리며 주머니 속 동전을 셈해보니 하나가 모자랐다. 버스를 타려면 천오백 원이 필요한데 천 원짜리 한 장과 동전, 네 개가 만져졌다.

큰길을 건너 맞은편 가게까지 갔다 오든지, 아니면 고액권을 낼 수밖에 없는 처지였다. 버스는 곧 도착할 것 같은데 좀처럼 묘안이 떠오르지 않았다. 운전기사의 짜증 섞인 목소리가 들려오고 승객들의 시선이 나에게 집중되는 것 같았다.

다음 버스를 타면 분명 예약된 시간에 늦을 것 같았다. 진료를 기다리는 많은 사람을 떠올리며 안절부절못하던 그때, 길 위에 떨어진 백 원짜리 동전 하나가 눈에 띄었다. 어찌나 반갑던지 얼른 주워들고 버스에 올랐다.

그때의 일을 생각하니 여인의 상황이 짐작되었다. 잔돈이 모자라 고액권을 내기가 무척 난감했을 것이다. 걱정거리가 무엇인지는 모르나 우수 띤 옆모습이 무척 매력적인 여인이었다.

버스를 기다리며 잠시 이런저런 얘기가 오고 갔다. 조금 전 길 건너편에서 교통사고가 났는데, 자신이 몰던 차가 앞차와 충돌했다고 한다. 특별히 다친 사람은 없으나 보험회사 직원이 망가진 차를 견인해 갔다고 했다. 지금 정비공장으로 가려는데 잔돈이 부족하다는 얘기다.

사고에 대한 위로의 말을 건네며, 슬쩍 얼마가 부족한지를 물어보았다. "백 원짜리 하나가 모자라요" 한다. 얼른 동전 하나를 건네주었더니 몇 번이나 고맙다는 인사를 한다. 건성이 아닌 진정으로 고마워하는 모습에 오히려 내가 더 민망스러웠다.

시간이 흐르자 낯선 사람에 대한 경계심이 풀렸는지 묻지도 않은 얘기들을 풀어놓는다. 상냥한 서울 말씨로 나긋나긋하게 말하는 모습이, 싸늘한 기품과는 달리 교양미를 갖춘 여인이었다.

백 원짜리 동전 하나가 이렇게 쓰일 줄은 생각지도 못했던 일이다. 그녀와 얘기를 나누다 보니 이빨의 통증도 씻은 듯 사라졌다. 잡다한 걱정거리도 자취를 감추고 기분이 밝아졌다. 대상이 무엇이든 아름다움과 함께하는 시간은 사람을 행복하게 해주는 것 같다.

요즈음, 길에 떨어진 동전을 주워가는 사람을 보기가 어렵다. 십 원짜리는 안중에도 없고 백 원짜리도 반짝이지 않으면 지나쳐버린다. 어린아이들도 수중에 동전 하나가 생기는 것보다, 손이 더러워지는 것을 싫어하고 있다.

동전 한두 개로 살 수 있는 물건을 찾기도 어렵지만, 작은 것을 하찮게 여기는 습관에도 문제가 있는 것 같다. 돌아가신 할머니의 허리춤에 매달린 복주머니 속에서 일 원짜리와 십 원짜리 동전이 가득 나왔던 기억이 난다.

함께 버스를 타고 오면서 오랜 친구처럼 웃음을 터트리며 얘기를 나눴다. 대부분 자동차 사고나 보험에 관한 얘기였지만, 남들이 볼 땐 무슨 사랑의 밀어라도 나누는 사람으로 보였을 것이다.

굼벵이도 구르는 재주가 있다더니, 하찮은 동전 하나가 제대로 역할을 할 때도 있었다. 가치를 떠나 무조건 홀대받아야 할 존재는 아니었다. 걸인에게 주어도 인사조차 받지 못했을 동전 하나가, 모처럼 제 몫을 다한 것 같다.

터미널에 도착하여 버스에서 내리려는데, 자신은 몇 정거

장을 더 가야 한다며 또다시 고맙다는 인사를 한다. 비록 스
쳐 가는 인연이었지만, 작은 배려에도 진심으로 감사할 줄
아는 여인이었다. 짧은 동행이었지만 백 원의 인사로는 과분
한 즐거움이었다.

성탄카드와 연하장

"삐릭, 삐릭" 짧은 신호음이 울린다.

핸드폰으로 문자메시지가 들어오는 소리다. 확인 버튼을 눌렀더니 즐거운 성탄과 희망찬 새해를 맞이하라는 문자가 선명하다. 누군가 날 기억하고 있다는 사실에 은근히 활력이 솟는다. 자신감이 생기고 기분이 우쭐해진다.

연말이 다가오니 비슷한 내용의 문자들이 수시로 날아들고 있다. 그들 중에는 내가 모르는 사람이 보내온 것도 있다. 특별한 목적을 가지고 여러 사람에게 발송된 것이든, 나에게만 보낸 메시지든 모두가 반가움이 앞선다.

내용을 확인하며 잠시 보낸 사람을 떠올려본다. 오래전 작은 도움을 준 일이 있었는데, 10년이 넘도록 연하장을 보내오는 사람이다. 올해는 시류를 쫓아 문자메시지로 대신하는 모양이다. 나는 문자 발송이 서툴기만 한데 그는 예쁜 그림 문자까지 곁들여 보내왔다.

환하게 웃는 이모티콘을 따라 빙긋이 미소를 지어본다. 왠지 허전한 느낌이 든다. 성탄 카드나 연하장과는 달리 뭔가 빠진 것 같다. 보낸 사람의 마음을 읽을 수 없어서일까? 한눈에 들어오는 메시지가 아쉽기만 하다. 짧은 메시지나 틀에 박힌 문장으로 마음을 전하기란 쉬운 일이 아니다.

날이 갈수록 통신수단이 발전하는 것은 좋으나, 아름다운 풍속이 사라져가는 것이 아쉽다. 전화기가 보급된 후 손편지가 자취를 감추더니, 휴대전화가 등장하자 서로를 그리워하는 마음들이 한층 얕아져 버렸다.

경기가 위축된 탓인지 연말 분위기가 냉랭하기 짝이 없다. 밤거리를 장식하던 성탄 트리도 보이지 않고, 가게마다 울려 퍼지던 캐럴 소리도 힘이 빠져있다. 해가 지기 무섭게 사람들은 귀가를 서두르고, 텅 빈 거리에 전파 메시지들만 분주하게 날아다니고 있다.

먼 지난날 이맘때는 가게마다 형형색색의 카드와 연하장이 내걸리고, 거리엔 캐럴 소리가 울려 퍼졌다. 친구들과 어울려 화려하게 장식된 시가지를 누비며 카드와 연하장을 사러 다녔다. 어렵사리 마음에 드는 카드나 연하장을 고른 뒤 받게 될 사람을 떠올리면 가슴이 두근거리기도 했다.

늦은 밤, 그리운 사람이나 고마웠던 사람을 생각하며 편지를 쓰다 보면, 지나간 일들이 주마등처럼 스쳐 갔다. 이튿날, 우표와 함께 크리스마스실이 붙여진 카드나 연하장을 우체통에 넣으면, 비로소 한 해를 마감한 듯 홀가분한 마음이 되었다.

늦어도 일주일이면 답장이 왔다. 그 무렵, 대문 앞을 서성이며 우편배달부를 기다리던 때가 그리워진다. "편지요" 하는 소리와 함께 카드나 연하장을 받아들고 행복감에 젖었던 지난날들이 멀게만 느껴진다.

"삐릭, 삐릭" 전화기로 메시지가 날아들고 있다. 예고 없이 전해오는 문자는 모두가 닮은꼴이다. 틀에 박힌 내용과 형식만 갖췄을 뿐 하나같이 온기가 없다. 사라져간 그 시절 풍속들이 못내 아쉽기만 하다.

추억 속으로 날아간 새

이 층 창밖으로 손에 잡힐 듯 뻗어있는 감나무 가지 위에, 작은 새 한 마리 날아와 앉는다. 포르르 떠는 날갯짓 소리에 창밖을 내다보니 일렁거리는 가지 위에 앉아 막 화려한 깃털을 접고 있다.

갑작스러운 그의 출현에 보던 책을 덮어두고 잠시 지켜보고 있다. 혹여 놀랄까 숨죽이며 바라보자, 저도 지척에 있는 내 존재를 확인하고는 빤히 올려다본다. 느닷없는 대면에 미처 상황 파악이 안 된 탓일까? 겁도 없이 고개를 치켜들고 내 눈에 초점을 맞춘다.

어디서 왔을까? 깃털이 무척이나 곱다. 크기나 생김새로 보아 금화조를 닮았다. 사람을 두려워하지 않는 모양새가 누군가 기르다 잃어버린 새 같기도 하다. 모든 관심이 그에게로 집중된다. 하루 중 가장 무료한 시간에 나를 찾아온 손님이라 반갑고도 귀엽다.

열린 창문을 경계로 나는 책상 앞에 앉아 있고, 그는 나뭇가지 위에 앉아 있다. 나를 쳐다보는 눈빛이 맑고 투명하다. 어린아이의 눈동자처럼 선하고 천진스럽다. 정기 잃은 내 눈빛이 그리도 신기한 것일까? 한동안 시선을 움직이지도 않는다.

앉은 자세가 불편하여 잠시 몸을 고쳐 앉자, 이리저리 고개를 갸웃거리더니 다시 내 눈에 초점을 맞춘다. 언뜻 그의 눈동자 속에서 또 다른 눈빛 하나가 어른거린다. 갑자기 새로 환생한 누군가가 나를 찾아온 느낌이 든다.

혹시 그녀일까? 지난날 적막한 내 가슴에 날아와 잠시 둥지를 틀었던 사람, 긴 세월이 지났으나 문득문득 그리워지는 여인이다. 내가 삶의 고비에서 힘겨워할 때 희망과 용기를 주었던 사람, 그녀가 있었기에 다시 일어설 수 있었고, 역경 속에서도 행복할 수가 있었다. 가진 것 없음을 걱정할 때 함께 있음만으로도 행복하다고 했던 그녀가 떠오른다.

지난날을 돌이켜 보면 그때만큼 행복했던 적도 없었던 것 같다. 바라보는 눈빛만으로도 서로의 마음을 알았고 작은

배려에도 눈물겹도록 행복했다. 만나고 돌아서면 또다시 그
리워지던 사람, 둘 사이엔 그도 없고 나도 없고 오직 너만 있
었다. 나를 위한 삶보다 너를 위한 삶이, 더 큰 행복일 수 있
음도 그때 알았다.

언젠가 그녀에게 한 쌍의 새를 선물한 일이 있다. 내가 특
별히 좋아했던 문조라는 새로, 깃털이 눈처럼 희고 우아한
기품을 지닌 새였다. 그녀의 엄마가 우울증으로 고생한다는
소리를 듣고 특효약이라며 구해다 주었던 새다. 처음엔 무척
이나 좋아하며 고마워했다는데, 딸이 나를 좋아한다는 이유
로 내다 버렸다고 한다.

누군가를 미워하면 관련된 모든 것이 싫어지는 심사를, 그
분도 어쩔 수가 없었던 모양이다. 새를 찾아오려 하였으나
행방을 알 수가 없었다. 하룻밤 곁에 머물며 늦도록 재롱을
부리던 모습이 한동안 눈에 아른거렸다. 자꾸만 나를 위해
헛된 제물이 되었다는 생각을 지울 수 없었다.

젊은 날 사랑은 믿을 수 없다며, 더 나은 조건을 찾아 끝
없이 저울질하던 그녀의 부모였다. 사랑을 지키려 홀로 부모
와 맞섰던, 용기 있는 그녀를 나는 끝내 지켜주지 못했다. 누
구도 대신 할 수 없는 독립된 삶 하나가 부모의 뜻에 따라
결정되고 말았다.

슬픈 눈빛으로 먼 이국땅으로 떠나가던 그녀가 저기 새가 되어 날아와 앉아 있다. 나에게 있어 그녀는 언제나 한 마리 새 같은 존재였다. 잡을 수도 놓아 줄 수도 없는 늘 마음을 졸이게 하는 대상이었다.

잠시 옛 생각에 젖어 시선을 놓쳐버린 순간, 그가 사라져 버렸다. 방금 떠난 듯 나뭇가지가 혼자서 흔들거리고 있다. 어디로 갔을까? 창밖을 둘러봐도 간 곳이 없다. 갑자기 주위가 텅 빈 것 같고 마음이 허전해진다.

그가 앉았던 자리가 갈수록 커다란 공간으로 다가오고 있다. 예고도 없이 찾아왔다가 흔적 없이 날아가 버린 새, 오래도록 함께 있고 싶었지만 떠나가 버렸다. 나는 현실로 돌아왔으나 그는 아득한 추억 속으로 날아가 버렸다.

초겨울 바람이 나뭇가지 사이로 불어가고 있다. 자꾸만 그의 눈동자 뒤에 숨어서 나를 지켜보던 그녀가 그리워진다. 작별의 인사를 나누던 날, 가슴 깊이 파고들던 알싸한 그 아픔이 병처럼 도지고 있다.

베란다 난간 위에 물을 채운 수반을 가져다 놓았다. 새들이 좋아하는 먹이도 넉넉하게 준비해두었다. 언제일지는 모르나 추억 속으로 나를 데려갔던 작고 예쁜 그 새를 다시 만나고 싶다.

PART 4

그건 오해였다

PART 4

그건
오해였다

대문이 열렸네

　바지 지퍼를 열어둔 채 당당하게 걸어 다니는 친구를 볼 때가 있다. 그럴 때마다 웃음을 참지 못하고 놀려대기 일쑤였는데, 언제부터인가 내가 곧잘 그런 실수를 하고 있다. 외출에서 돌아와 옷을 갈아입다 활짝 열려있는 바지 앞섶을 보고 당황스러워할 때가 한두 번이 아니다.

　걸어서 외출했을 때는 비교적 안심이 되기도 하나, 자전거를 타고 나갔던 날은 난감하기 짝이 없다. 자전거에 올라앉는 순간 바지 앞섶이, 하마처럼 입을 쩍 벌리며 내부 사정을 낱낱이 공개하기 때문이다.

　부주의로 남의 웃음을 사는 일이 여간해서 없었는데, 요즘 들어 심심찮게 문제를 일으키고 다닌다. 복용한 약을 다시 먹거나 화장실 불을 끄지 않는 것은 예사로운 일이다. 헬스장에 등록하려다 휴대전화 가운데 번호가 생각나지 않아 당황했던 적도 있다.

살아가면서 누구도 피해 갈 수 없는 두 번째 변화가 내게도 찾아온 모양이다. 첫 번째로 맞이했던 사춘기는 두렵고 기분 좋은 변화였으나, 이번에 오는 갱년기는 여러 가지로 육체적 고통을 수반하여 힘겹기 짝이 없다.

갱년기에 접어들면 대부분 체형이 바뀌고 건망증이 생긴다. 나를 비롯한 친구들 모두가 아랫배가 튀어나오고 기억력이 깜빡거린다. 바지를 입고 허리띠를 조이다 보면 지퍼 올리는 일을 예사로 잊어버리게 된다.

달리는 봉고차 맨 뒷좌석에 H 시인이 혼자 앉아있다. 그는 같은 문학단체 회원으로 초등학교 선생님이다. 학생들의 때 묻지 않은 심성 속에서 생활하는 탓인지 남달리 고운 시를 많이 쓴다. 가끔 문예 대전에서 큰상도 받아오는 검증된 여류시인이다.

오랜만에 떠나온 문학기행인데 참석자가 많지 않았다. 17인승 봉고차에 아홉 사람이 앉다 보니 곳곳이 빈자리다. 모두가 창 쪽으로 등을 기대고 앉으니 사랑방 좌담회처럼 빙 둘러앉은 모양새가 되었다. 나는 H 시인의 앞 의자에 옆으로 비스듬히 앉아있었다.

여러 곳의 경유지를 지나오는 동안 날이 저물어 차 안이 어둑해졌다. 요즘 들어 시력이 나빠졌는지 어두운 곳에서는 물체의 구분이 어렵다. 검은색 바지를 입은 H 시인의 앞섶에, 지름이 10센티쯤 되는 흰색 타원형 물체가 조금씩 움직이고 있었다. 차가 흔들릴 때마다 출렁대듯 꿈틀거리는데 도무지 정체를 알 수 없었다.

한참이 지났으나 계속 그 자리에서 꿈틀대고 있었다. 궁금증이 동하여 고개를 숙이고 내려다보았으나, 불빛이 의자에 가려 알 수가 없었다. 자꾸만 자신의 앞섶을 주시하는 내 시선을 느꼈는지, H 시인이 고개를 푹 숙이더니 아래를 내려다본다.

그 순간, 차체가 크게 흔들리며 한줄기 불빛이 H 시인의 바지 앞섶을 비췄다. 어둠 속에 숨어 있던 타원형의 물체가 모습을 드러냈다. 바지를 여미고 있던 지퍼가 터져있고 하얀 속옷이 얼굴을 내밀고 있었다.

얼떨결에 "어! 대문이 열렸네"라고 말하자, 황급히 두 손으로 가리며 "엄마야, 이게 와 터졌노" 하며 웃음을 터트린다. 그 순간 나일론 지퍼와 아랫배의 탄력이 만들어낸 흰색 타원형의 물체가 사라져 버렸다.

누드 타임

    욕실에서 샤워를 마치고 나오니 집안이 온통 정적 속에 묻혀있다. 조금 전까지 부산을 떨어대던 가족이 피서를 떠난 모양이다. 오랜만에 아래위층이 모두 비었다. 이제 집안에 살아 움직이는 것은 나 혼자뿐이다.

    일정에 따르면 내일 저녁 무렵에나 돌아올 것이다. 저녁 늦게 예고도 없이 아내가 불쑥 나타날지도 모르지만, 앞으로 10시간쯤은 아무런 간섭도 받지 않는 나만의 시간이다.

    달랑 수건 한 장 목에 걸치고 집안을 한 바퀴 둘러본다. 에어컨을 켜고 외부로 통하는 문들을 닫아걸었다. 안전을 확인한 후 방으로 돌아오니 한결 마음이 편하다. 이제부터 남을 의식하여 나를 구속할 필요가 없는 완벽한 자유의 몸이다.

어디에도 지켜보는 시선이 없다는 사실에 마음이 더없이 평온해진다. TV 앞에 큰 수건을 깔고 앉아 몸을 닦고 머리를 말린다. 알몸으로 있는 것이 이렇게 편한 줄 몰랐다. 선풍기 바람이 스칠 때마다 기분이 상쾌하고 짜릿한 흥분감마저 느껴진다.

입고 지낸 옷들이 엄청나게 큰 구속이었음을 새삼 깨닫게 된다. 알몸이 주는 해방감을 맛본 사람이라면 그 유혹을 쉽게 뿌리치지 못할 것 같다. 한사코 옷 입기를 거부하는 아이나, 문명을 등지고 알몸으로 살아가는 원주민들의 기분을 알 것도 같다.

옷이 주는 구속감과 남들이 보는 시선에서 벗어나 마음껏 자유를 누려본다. 홀가분하기 짝이 없다. TV를 보다 말고 찬찬히 몸 구석구석을 살펴본다. 이토록 자신을 자세히 점검해보는 일도 무척 오랜만인 것 같다. 몸을 구성하는 부분들이 저마다의 독특한 모습으로 자신의 위치를 지키고 있다. 새삼스레 창조주의 위대함이 느껴진다.

지난주 예술회관의 그림 전시장을 다녀온 일이 있다. 유독 사람들이 많이 모인 곳으로 가보니 여인의 누드화 앞이었다. 젊은 여성이 비스듬히 옆으로 누워있는 형상인데, 풍만한 엉덩이와 잘록한 허리 곡선이 눈길을 끌었다.

평소 누드화를 접할 기회가 귀했던 탓일까? 예술이란 이름으로 공개된 여인의 나체 앞에 모두가 자유를 상실한 채 멈춰서 있었다. 앞자리를 차지한 사람들은 그림에 심취한 듯 떠날 줄 몰랐다. 이리저리 각도를 달리해보며 주변을 맴돌기만 했다.

나체란 혼자 있는 사람에겐 무한한 자유를 주지만, 지켜보는 사람을 구속하는 마력이 있는 것 같다. 시대가 바뀐 탓인지 서유럽을 중심으로 누드족들이 빠르게 증가하고 있다. 그들만의 전용공간도 늘어나, 프랑스에만 100개가 넘는 누드 비치와 2만 개나 되는 누드 야영장이 있다고 한다.

글로벌 10대 누드 명소에서는 옷을 입고 다니는 것이 유죄라고 한다. 간혹 영상물을 보면 그들의 당당함에 놀라지 않을 수 없다. 부끄러움을 전혀 의식하지 않는다. 수많은 관광객이 지켜보아도 아무런 거리낌이 없다. 오직 그들을 화나게 하는 것은, 자신들의 영역을 침범해오는 프리섹스 족들의 문란한 성문화라고 했다.

누드족과 프리섹스족은 분명한 차이가 있다. 옷을 벗고 지내는 것은 같으나 지향하는 목표가 다르다. 누드족은 물질문명에서 벗어난 자연주의를 표방하고, 프리섹스족은 억압된 성적 욕망에서의 해방을 바라고 있다.

누드족들은 인체를 자연의 일부로 생각하여 알몸을 드러내는 데 주저함이 없다. 대자연의 기운을 제대로 받으려면 신체가 옷으로부터 해방되어야 한다고 말한다. 근래에 들어 누드족이 아닐지라도 알몸으로 일광욕을 즐기는 사람이 늘어나는 추세다.

누드 비치로 소문난 명소들은 대부분 서유럽과 미주대륙에 집중되어있다. 동양에서는 뿌리 깊은 유교 사상 때문인지 아직 성공한 사례가 없다고 한다. 2000년대 초반 중국의 하이난성에서 잠시 누드 비치가 운영된 적이 있었으나 주민들의 항의로 즉시 폐쇄되었다고 한다.

2010년을 전후로 국내에서도 누드촌 개설이 화제가 되고 있다. 자연경관이 수려한 시골 마을에 회원제 누드촌이 들어와 주민들과 갈등을 빚고 있다. 주거지 내에서의 사생활이야 탓할 수 없지만, 집 밖으로의 노출이 문제가 되고 있다. 아직은 우리네 정서와 까마득히 먼 얘기로만 들린다.

태양이 달아오르는 아침나절을 알몸이 주는 자유를 만끽하고 있다. 아름다운 자연 속 누드 비치는 아니지만, 선풍기 바람으로 온몸을 말리며 여가를 즐기고 있다. 오랜만에 온몸 구석구석을 통풍시켜 보니, 특별히 고장 난 곳도 없고 아직은 쓸 만한 것 같아 은근히 자신감이 솟는다.

웃기는 말장난

국내 최고의 엘리트 집단에서 툭하면 웃기는 말장난을 되풀이하고 있다. 누군가의 말꼬투리를 붙잡아 도마 위에 올려놓고 진실 공방攻防을 벌인다. 공인公人이 해서는 안 될 말을 했으니 당장 물러나라고 아우성친다.

오랜만에 낯익은 여성 정치인이 방송에 나왔다. 몇 해 전, 어느 시장 선거에 출마했으나 말장난에 걸려 낭패를 본 사람이다. 이번엔 출마한 동료를 돕기 위해 나왔다고 한다. 그녀를 보는 순간 어느 모임에서 들었던 얘기가 떠올라 나도 몰래 상상想像의 날개가 펼쳐졌다.

어느 우체국 창구에 근무하는 여직원의 말 한마디가 지역 사회를 발칵 뒤집어 놓았다. 뒤늦게 소문을 접한 사람들도 모두가 놀랐다고 한다. 그 여직원이 손님에게 "밑에 있는 구멍으로 넣어 주세요" 하고 말했다는 것이다.

그 말이 사실이라면 너무도 충격적이다. 그런 부도덕한 사람을 그냥 둬서는 안 된다며 야단들이다. 잘못을 인정하고 스스로 물러나라고 몰아붙인다. 끝내 고발이라는 말까지 흘러나온다. 정말일까? 믿을 수가 없다. 장래가 구만리 같은 여직원이 그렇게 말했을 까닭이 없다.

사람들이 믿으려 하지 않자 기다렸다는 듯이 증거가 제시된다. 녹음된 휴대전화가 증거물로 나왔다. 재생되는 소리만 들어서는 그 말이 사실인 것 같다. 철저하게 조사하여 엄벌하라며 여론을 부추긴다. 윗사람에게도 책임이 있다며 은근히 불똥을 튕긴다.

일이 커지자 윤리 위원회에서 조사에 나섰다. 그러자 이번엔 제 식구 감싸기를 할 것이라며 특별검사를 임명해야 한다고 야단들이다. 하루도 편할 날 없이 없다. 툭하면 사람들을 혼란 속으로 몰아넣고 있다. 자칫 말실수 한 번이면 모든 것이 끝날 수도 있는 곳이다.

시간이 흘러 갑론을박이 시들해지면 결과가 발표된다. 공정하고 철저하게 조사한 결과 여직원이 그런 말을 한 것은 사실이라고 한다. 그러나 주고받은 말을 종합해 보면 전혀 다른 의미라는 결론이다. 앞뒤 정황을 무시한 채 필요한 말만 잘라내어 소란을 피운 것이다.

아무런 잘못도 없이 그 말을 했던 사람만 곤욕을 치른 셈이다. 문제를 제기했던 사람은 사과는커녕 오히려 당당하다. 한 말을 했다고 한 것이 무슨 잘못이냐는 항변이다. 언제나 아니면 말고 식으로 흐지부지 끝나 버리는 것이 그곳의 말장난이다.

사사건건 상대방의 말실수를 노리는 것이 그 집단의 생리인 것 같다. 한번 꼬투리가 잡히면 집요하게 물고 늘어진다. 언제나 국민의 알 권리를 명분으로 내세운다. 그러다 목적이 달성되면 슬그머니 놓아 버린다. 언제나 손해 보는 쪽은 말꼬투리를 잡혔던 사람이다.

내가 들은 이야기는 어느 여성 회원이 전국 명승지를 여행하던 중, 편지를 부치려고 시골 우체국에 들렀을 때의 일이다. 당연히 하나만 있을 것으로 생각했던 구멍이 여러 개 뚫려있어 "이 편지 어디다 넣을까요?" 했더니 여직원이 "밑에 있는 구멍으로 넣어 주세요"라고 말했다고 한다. 무심코 편지를 넣고 돌아서는데, 뒷줄에 서 있던 남자가 키득거리며 웃는 바람에 몹시 당황했다는 얘기다.

우체국마다 위치는 달라도 우표를 파는 창구 옆이나 아래

쪽에 작은 구멍이 뚫려있다. 그곳에 편지를 넣으면 내부의
경사진 홈을 타고 들어가 안쪽에 마련된 상자 안으로 "툭"
하고 떨어진다.

　만약 그 회원이 했던 얘기를 말장난에 이력履歷이 난 그곳
사람들이 들었다면 기막힌 사건이 되었을 것 같다. 아마도
그 말을 했던 사람은 한동안 혼쭐이 났거나 가정파탄이 일
어났을지도 모른다. 문제의 말만 떼어놓고 보면 누구든 놀라
지 않을 수 없다. 상상만 해도 웃기는 말장난거리다.

타고난 상팔자上八字

미모의 젊은 여성이 공원 산책길을 따라 쌍둥이 유모차를 밀고 간다. 겉모습으로 보아 아직 결혼한 것 같지가 않은데 쌍둥이를 낳았던 모양이다. 요즘처럼 아이들이 귀한 세상에 큰일을 한 것 같아 보기에 좋았다.

엄마를 닮았으면 아이들도 무척 예쁠 것으로 생각되어 지나가면서 유심히 유모차 속을 들여다보았다. 그 순간, 유모차에 타고 있던 반짝이는 네 개의 눈동자가 내 눈과 마주쳤다. 화들짝 놀라 한걸음 물러섰더니, 겁을 먹었는지 칭얼거리는 울음소리를 낸다.

여인이 길옆으로 유모차를 세우더니 앞으로 걸어오면서

"애들아, 엄마 여기 있어" 하며 햇빛 가리개를 들어 올린다. 그러자 조금 전 나를 놀라게 했던 눈처럼 새하얀 애완견 두 마리가 여인의 가슴으로 뛰어든다.

개 팔자가 상팔자라더니, 그 말을 한 사람의 선견지명先見之明에 놀라움을 금할 수 없다. 요즘 주인을 잘 만난 개들은 온갖 호사를 다 누리며 산다. 아프면 병원에 입원도 하고, 주인이 여행을 떠나면 개전용 호텔에서 지내기도 한다.

정도의 차이는 있으나 우리 집 삐용이도 팔자가 좋은 편에 속한다. 그는 우리 집 경비를 담당하는 잡종견인데, 어릴 적 "삐용, 삐용" 하는 독특한 울음소리를 내어 그대로 이름이 되었다. 비쩍 마른 몸매에 긴 털을 가진 참으로 못생긴 개다. 바람기 많은 조상이라도 있었는지 삽살개의 유전자도 제법 섞인 것 같다.

함께한 세월이 어느덧 7년이다. 사람으로 치면 이미 중년을 넘어선 그다. 경쟁할 상대가 없으니 시비를 다툴 일도 없고, 정년이 따로 없으니 쫓겨날 걱정도 없다. 그는 대문 밖 세상을 전혀 모르고 살고 있다. 그곳에 더 큰 세상이 존재함을 알지 못하고 있다.

짧은 목줄에 묶여 사는 것을 빼면 아무런 부족함이 없다. 어딘가에 구속되어 사는 것은 나와 크게 다르지 않다. 그는 한 가닥 외줄에 묶여 살지만, 나는 보이지 않는 수많은 줄에 얽혀 있다. 그는 목이 조이면 물러설 수도 있지만, 나에겐 쉽지 않은 일이다. 어렵게 한 가닥 늦췄다 싶으면 생각지도 않았던 줄이 조여온다.

못생긴 얼굴에 식성조차 까다로워 여러 번 내치려고 했으나 실패를 거듭했다. 몸에 살이라곤 없으니 복날이 다가와도 거들떠보는 사람이 없었다. 개장수에게 그냥 가져가라고 했지만, 한눈에 외면해 버렸다.

씀씀이가 큰 안주인 덕분에 언제나 먹을 것이 넘쳐나는 그다. 하지만 까다로운 식성 탓에 몸집이 불어날 수가 없다. 어떻게 보면 제 살길을 정확히 파악하고 있는 것 같다. 군살 없는 몸으로 적당히 경비나 서며 살아가는 것이 그만의 생존 방법이다.

요사이 그를 찾아오는 손님이 부쩍 늘어났다. 손님이라고 해야 주변에 사는 참새나 고양이가 전부다. 봄이 되자 새들이 알을 부화孵化했는지 숫자가 엄청나게 불어났다. 한꺼번에 수십 마리씩 떼를 지어 몰려오기도 한다. 낯선 고양이 새끼들도 출입이 빈번해졌다.

그의 버릇 중 하나가 밥을 주면 즉시 그릇을 엎어 버리는 일이다. 땅에 음식을 쏟아놓고 국물이 빠지면 대충 입에 맞는 것만 가려서 먹는다. 뒤처리는 모두 참새들이 해주고 있다. 밥그릇 가득 새들이 들어가 있어도 못 본 척하며 여유를 부린다.

주인이 준 밥으로 생색은 저 혼자 내고 있다. 그들 사이가 언제부터 그런지는 모르나 볼수록 신기하다. 아마도 고분고분 자신의 허세를 받아주는 약자들이라 그냥 두는 것 같다. 그러나 고양이들은 사정이 다르다. 그들은 다가오기 무섭게 내쫓아버린다.

어쩌다 기회를 엿보던 고양이가 먹이를 가로채서 달아나도 한두 번 짖으면 그만이다. 그가 하는 짓거리를 보면 밤에 경비나 제대로 서는지 의심스럽다. 낮에 내가 보이는 곳에 있으면 잠시도 쉬지 않고 짖어댄다. 경비를 열심히 선다는 뜻인지, 잠자리나 나비를 보고도 짖는다.

그의 역할 중 쓸모 있는 한 가지는, 가끔 내 화풀이 대상이 되어주는 일이다. 아내와 다툰 후 못다 한 얘기들을 그에게 빗대어 말하면, 마치 동정이라도 하는 듯 내게 몸을 비벼대며 끙끙거린다. 그러다 어디서 꼬박꼬박 말대꾸냐며 다시 야단을 맞는다.

간혹 목줄이 풀려도 대문 밖 세상에는 관심이 없다. 집안을 한 바퀴 둘러본 뒤 알아서 제자리로 돌아가 버린다. 그의 생활 반경은 2m가 고작이다. 줄에 묶인 채 돌아봐야 한 평 남짓한 땅을 차지할 뿐이다. 그래도 아무런 부족함 없이, 명색이 가장인 내 시중을 받으며 살고 있다.

요즈음 무더운 날씨 탓에 아침저녁으로 그의 뒷바라지를 하고 있다. 밥그릇 씻기, 물 주기, 변 치우기 등 할 일이 많다. 가끔 집 청소를 하다 보면 이리저리 자리를 피해 가면서 내게 장난을 건다. 손에 든 빗자루를 빼앗기도 하고 다리에 줄을 걸어 넘어트리기도 한다. 간이 큰 것인지 겁이 없는지 분간이 어렵다. 그가 타고난 팔자도 분명 상팔자가 틀림없어 보인다.

남도 한정식韓定食

산해진미山海珍味로 가득한 요리상이 줄지어 들어오자, 기다리던 사람들의 눈동자가 일제히 휘둥그레졌다. 모두가 밥상 앞으로 다가앉으며 "와!" 하는 탄성을 쏟아낸다. 얼굴 가득 웃음꽃이 피고 흡족한 표정들이다. 나 또한 음식을 앞에 놓고 이토록 행복감을 느껴보긴 처음인 것 같다.

대충 헤아려본 요리가 40가지가 넘는다. 구경조차 못 해본 음식들이 즐비하다. 그동안 먹어왔던 음식과는 빛깔과 모양부터가 다르다. 접시 위 놓임새도 정갈하기 짝이 없다. 무엇부터 먹어야 할지 혼란스럽다. 젓가락이 갈피를 못 잡고 예상 밖의 음식을 집어 오기도 한다.

땅끝마을 해남에 와서 비로소 제대로 된 음식점을 찾은

것 같다. 종업원들의 친절한 서비스와 풍성하게 차려진 요리 상을 받고 보니, 실망했던 남도 한정식에 대한 기대감도 되살아났다.

이번 여행의 목적을 두 가지로 압축해왔다. 해남 일대의 명승지를 둘러보는 일과, 남도 진미를 골고루 맛보고 가는 것이었다. 그러나 첫날부터 먹고 자는 문제로 많은 실망감을 느꼈다.

여행 첫날, 순천만을 둘러본 뒤 벌교읍에서 점심을 먹었다. 그 지역 대표 음식인 꼬막 정식을 주문했는데, 차려진 음식에 비해 값은 비싸고 맛이 기대에 못 미쳤다. 예상 밖의 지출과 실망감으로 기분이 몹시 언짢았는데, 저녁에는 대놓고 바가지를 썼다.

남도南道의 명승지를 돌아 해 질 무렵 땅끝마을에 도착했다. 예정보다 시간이 지체되어 서둘러 전망대에 올랐다. 남녘 바다에 펼쳐진 황금빛 저녁노을은 모두를 감탄하게 했다. 가늠할 수 없는 대자연의 아름다움은 감동 그 자체였다. 잠시 후 어둠이 몰려들어 서둘러 자리를 옮겼다. 숙소부터 정한 뒤 식당을 찾아보기로 했다.

여관 주변에 식당이 많았지만, 어느 곳이 좋을지 알 수가 없었다. 이리저리 기웃거리다 비교적 규모가 크고 손님들이 많은 집으로 들어갔다. 기대에 부풀어 각종 음식을 주문했는데, 서비스도 맛도 형편이 없었다. 점심에 이어 저녁까지 실망하고 보니 남도 음식에 대한 환상이 깡그리 깨져 버렸다.

여관의 군불 인심도 좋지 않아 새벽녘에야 겨우 방이 따뜻해져 왔다. 피곤한 몸을 일으켜 아침 식사할 곳을 찾았으나 갈 만한 곳이 없었다. 궁리 끝에 일정을 바꿔 달마산 미황사부터 찾았다. 경내를 둘러보며 식사할 곳을 수소문했더니 현지 주민이 이곳 한정식집을 소개해 주었다.

모든 음식이 재료의 향과 맛이 살아있고 보기에도 좋았다. 도무지 반찬이란 생각이 들지 않았다. 무엇을 먹든 삼삼하고 감칠맛이 돌았다. 모두가 음식이 주는 독특한 맛에 빠져 정신없이 배를 채웠다. 특이한 냄새가 코를 쏘는 홍어삼합을 빼고는 모두 먹어보았던 것 같다.

그 많던 음식들이 사라지고 상위엔 빈 접시와 음식물 잔해들만 가득했다. 모두가 말로만 들었던 남도 한정식의 매력에 푹 빠졌던 셈이다. 배가 부르자 조금씩 주변 상황이 눈에 들어왔다. 무심코 밥상 위를 보니 밥그릇이 보이지 않았다.

그동안 열심히 반찬만 먹었던 셈이다. 한창 손님들이 밀려드는 시간이라 종업원이 실수했거니 생각하며 점잖게 주인을 불렀다. 배가 부른 탓에 아무도 종업원의 잘못을 문제 삼지는 않았다.

한껏 무게 실린 목소리로 "소문난 한정식집에서 밥을 빠트려서야 되겠느냐"며 나무랐더니 자세히 듣지도 않고 "밥 드릴까요?" 한다. 잠시 어리둥절한 사이 생선조림과 찌개와 국을 곁들인 밥상이 연달아 들어왔다.

여태껏 먹었던 음식은 밥을 먹기 위한 반찬이 아니라 특별한 맛을 지닌 전문요리였다. 나중에야 알았지만, 남도 한정식은 세 번 맛을 느끼게 한다고 했다. 눈으로 보는 맛이 첫 번째요, 부드럽고, 아삭하게 씹히는 맛이 두 번째요, 혀끝을 감치는 맛이 세 번째라고 했다.

깔끔하게 잘 차려진 밥상을 받고 보니 또다시 입맛이 동했다. 아침부터 반주가 입에 척척 달라붙었다. 만장일치로 모든 일정을 미루고 느긋하게 남도 한정식의 매력에 빠져들었다.

술기운이 오르자 낯익은 밥상 하나가 눈앞을 스쳐 간다. 식사 때마다 마주 보던 밥상이다. 모양새도 갖추지 않은 반찬들이 접시 위에 제멋대로 앉아있다. 먹든 말든 알아서 하라는 불가근불가원의 우리 집 밥상이다.

여인네의 음식 솜씨는 특별한 재능으로 생각된다. 재료가 아무리 좋아도 맛을 내지 못하는 사람이 있고, 들풀을 뜯어와 주물러도 맛을 내는 사람이 있다. 흔히 말하는 손맛이란 것이다. 가족들의 건강이 여인네 손끝에 달렸다는 말이 괜한 소리가 아니다.

명불허전이라더니 남도 한정식의 명성이 그냥 생긴 것이 아니었다. 아침과 점심을 겸하여 한껏 포식했다. 아무래도 과분한 호사를 누린 것 같다. 세상에는 기아에 허덕이는 사람들도 많다는데, 남겨진 음식과 필요 이상으로 먹었던 음식이 아깝다는 생각이 들었다.

저만치 서 있는 관광버스를 향해, 한 무리의 사람들이 뒤뚱거리며 걸어가고 있다. 모두가 부풀어 오른 배를 안고 한껏 여유를 부리며 걷는다. 계산을 끝낸 후 일행을 따라가며 나도 몰래 팔자걸음을 걷고 있다. 무척 오랜만에 걸어보는 보법이다.

어떤 사냥

서점은 나에게 새로운 지식을 얻을 수 있는 사냥터와도 같았다. 시내 찻집에서 친구와 만나기로 했는데, 시간이 남아 근처에 있는 서점에 들렀다. 습관처럼 신간 서적 판매대를 둘러보는데 특별히 눈길을 끄는 제목이 있었다. 『울고 싶어도 내 인생이니까』 사이버 문단에서 인기를 누리는 백정미 작가의 산문집이다.

띄엄띄엄 책장을 넘겨보니 곳곳에서 가슴을 울리는 글귀들이 쏟아져 나온다. "인간의 삶은 시련과 극복을 끝없이 되풀이하는 과정이다." "시간을 낭비하는 것은 생명을 버리는 일이다." "폐허와 절망 가운데서 희망을 품을 수 있는 것이 인간이다." 모두가 하나같이 공감이 가는 이야기들이었다.

문득 몇 해 전에 보았던 책 제목이 떠올랐다. 『영원히 살 것처럼 배우고 내일 죽을 것처럼 살아라』 미국의 작가 마빈 토케이어가 쓴 책이다. 제목만으로도 오랫동안 나를 생각 속에 잠기게 했던 기억이 난다.

지난날과는 달리 사람들의 발길이 갈수록 서점에서 멀어지고 있다. 그 많았던 서점들이 모두 문을 닫았고, 시가지 중심가에 있는 대형서점 한두 곳이 겨우 명맥을 유지하고 있다. 어느 도시든 상황은 비슷해 보인다.

TV나 인터넷을 통해 볼거리가 넘쳐나는 세월이라, 굳이 서점을 찾을 필요가 없어졌기 때문인 것 같다. 하지만 편하게 습득된 지식은 기억 속에 오래 머물지를 않는다. 어렵게 마련한 책으로 긴 시간을 투자하여 정독했을 때, 일부나마 자신의 것으로 남아있게 된다.

오랜 세월 지식의 사냥터가 되어주던 서점들이, 우리 곁에서 사라져가는 현실이 씁쓸하다. 그나마 다행인 것은 예전과는 다른 형태의 서점들이 하나둘 생겨나고 있다고 한다. 카페와 서점을 합쳐놓은 다목적 서점이 문을 열어 관심의 대상이 되고 있다.

삶이 무료하거나 시간이 남아도는 날이면, 습관적으로 서점을 찾는다. 그곳에서 신간 코너에 진열된 책들의 제목을 읽어보면서 시간을 보내곤 했다. 그럴 때마다 책 속의 내용을 읽지 않고도 많은 것을 얻을 수 있었다. 서점은 언제나 새로운 지식을 공급해주는 사냥터와도 같았다. 오늘도 사냥 한 번 제대로 한 것 같다.

형광등螢光燈

　오늘따라 컨디션이 좋은지, 아침상을 차리는 아내가 콧노래를 부르고 있다. 그 소리에 잠이 깨어 주방으로 들어갔다. 무슨 좋은 일이라도 있는지 밝게 웃으며 "잘 잤어요?" 하며 인사를 건넨다. 평소와 다른 모습에 은근히 장난기가 돌아 한마디 던졌다.

　"얼마 들었드노?"

　"뭐가요?"

　"돈, 말이다."

　느닷없는 내 말에 두 눈을 껌뻑이며 쳐다본다.

　"새벽시장 가서 걸비乞人 지갑 주운 거 아니가?"

　그제야 알아채고 웃음보를 터트린다.

요즘 우리 집엔 깜빡거리는 것들이 많다. 나도, 아내도, 천장에 달린 형광등도, 경쟁하듯 깜빡거린다. 말귀를 알아듣지 못하는 것은 다반사고 손에든 물건을 찾을 때도 있다. 젊은 날 촉이 좋을 땐, 십 리 밖에서 내가 누구와 커피를 마시는지도 알아맞히던 아내가 유독 증상이 심하다.

근래에 건망증 예방에 좋다는 두뇌 훈련을 하려고 아내와 한 가지 약속을 했다. 무슨 대화든 직설적으로 말하지 않고 최대한 에둘러서 말하는 방법이다. 아직 훈련되지 않은 탓인지 아내는 말을 조금만 비틀어도 한참 뒤에나 알아챈다.

엊그제 일이다. 아내가 냉장고 문을 열어둔 채 유심히 안을 살피고 있었다. 잔뜩 찌푸린 얼굴로 고개를 갸우뚱거리는 것으로 봐서, 분명 꺼내려던 것을 잊어버린 것 같았다. 잠시 지켜보다 한마디 던졌다.

"날씨도 더운데 들어가서 찾지."

그 소리에 찾기를 포기하고 냉장고 문을 닫고 돌아선다. 세월 탓인지 나 또한 아내 못지않다. 가스 불에 물을 끓이다 보름 사이에 주전자를 두 개나 태워 먹었다. 잊지 않으려고 몇 번이나 다짐했지만, 순간적으로 깜빡했다. 이러다 큰일 나겠다 싶어 자동으로 꺼지는 전기 주전자로 교체했다.

건망증에 좋다는 강황도 먹어보고 열심히 걷기 운동도 했지만, 별다른 효과가 없었다. 모든 것을 나이 탓으로 돌리고 있는데, 만물상이란 TV프로에서 해독주스 만드는 법을 알려주었다. 만병의 근원인 체내의 독소들을 배출한다기에 꾸준히 만들어 먹고 있다.

해독주스는 토마토, 당근, 브로콜리, 양배추가 기본재료다. 이를 살짝 데친 후 각종 채소나 과일을 추가하여 믹서에 갈아 먹는다. 처음엔 아내가 만들었는데 맛이 없다는 잔소리 몇 번에 내게로 넘겨버렸다. 나는 효력을 높이려고 바나나와 제철 과일은 물론, 텃밭에 있는 민들레와 상추까지도 곁들여서 갈아내고 있는데 먹기에도 좋다.

해독주스를 1년 가까이 먹어보니 콜레스테롤 수치도 내려가고 건강이 많이 좋아진 느낌이다. 혈액순환이 좋아진 탓인지 머리도 맑고 깜빡거리는 증상도 훨씬 덜해진 것 같다. 그러나 체질에 따라서는 다소간의 부작용이 있었다. 아내는 해독주스만 마시면 가스 밸브가 고장이 난다.

오늘은 토요일, 모아두었던 빨래를 하는 날이다. 욕실에서 빨래하던 아내가 초대형 가스를 터트린다. 내가 근처에 있는 것을 몰랐는지 중소형급으로 마무리까지 한다. 은근히 장난기가 돌아 창문을 열어젖히며 한마디 했다.

"이 사람, 괜찮나."

"뭐가요?"

"다친 곳 없나 말이다."

고개를 갸우뚱거리며 묘한 표정을 짓는다.

"방금 무엇이 터지는 소리가 났는데 못 들었나?"

그제야 웃음보를 터트리며 빨랫대야에 꼬꾸라진다.

요란하게 울리는 전화벨 소리에 정신이 번쩍 들었다. 오랜만에 만났던 친구와의 약속을 깜빡하고 있었다. 바쁘게 옷을 챙겨 입고 나서는데 또다시 전화벨 소리다. 급히 수화기를 들었더니 일주일에 한 번 강의를 나가는 사회교육원 사무실에서 걸려온 전화다.

오늘 강의가 있는 날인데 잊고 있었다. 약속을 미루려 급히 친구에게 전화를 걸었는데, 방금 통화했던 사회교육원 아가씨가 받는다. 오늘도 모든 것이 깜빡거리고 있다. 나도, 아내도, 천장에 달린 형광등도, 우열을 가리기가 어렵다.

효녀도 자매도 아니었다

    늘그막에 용돈벌이나 하려고 담뱃가게 하는 친구가 있다. 전매청에서 공급해 주는 국산 담배 위주로 판매하다, 최근에 전자담배가 출시되어 그 대리점을 겸하고 있다.

    가끔 그 친구네 가게에서 바둑을 두며 노는데, 오늘따라 친구의 표정이 몹시 어두웠다. 사연인즉 국세청에서 조사를 나와 담배 판매권을 반납 당했다고 한다. 그러고 보니 담배가 놓여있던 진열장이 대부분 비어있었다.

    두어 달 전 담배를 사러 왔던 청소년들을 훈계하여 보낸 일이 있었는데, 그들이 앙심을 품고 국세청에 고발했다고 한다. 미성년자 신분을 감추고 담배를 사 갔던 친구를 증인으로 내세워 꼼짝없이 당했다고 한다.

판매권을 되찾으려면 천만 원 가까운 벌금을 내야 하는데, 그 돈을 벌기가 쉽지 않아 포기했다고 한다. 수입은 대폭 줄어들겠지만, 전자담배나 팔면서 소일하는 수밖엔 방법이 없다고 했다. 다행히 새해부터 담뱃값이 대폭 오른다고 하니 전자담배 수요가 늘어날 것이라며 자신을 위로했다.

친구네 가게로 오다 보면 초등학교 담벼락에 걸어놓은 "때늦은 후회보다, 지금부터 금연 선택"이란 표어가 눈에 띈다. 아이러니하게도 우리나라를 비롯한 여러 나라에서 담배를 전매하면서 금연정책을 펴고 있다.

담배는 마약이고 흡연은 질병이며 금연은 치료라고 했다. 하지만 금연이란 말처럼 쉬운 일이 아니다. 한번 중독이 되면 담뱃갑에 인쇄된 흉측한 사진도 아무런 효과가 없다. 나 역시 여러 번 실패를 거듭한 끝에 겨우 금연에 성공했다. 건강을 생각하면 좀 더 일찍 끊지 못한 것을 후회하고 있다.

친구는 아직도 담배를 피운다. 근래에 들어 잎담배를 끊고 전자담배를 즐겨 피우고 있다. 그는 전자담배를 피울 때 사용하는 황금빛 무화기를 상시로 목에 걸고 다닌다. 번쩍거리는 현대판 담뱃대가 무척 고급스러워 보이기도 한다. 가끔 친구에게 금연을 권해보지만, 전자담배가 있으니 염려할 것 없다며 큰소리만 치고 있다.

한창 바둑판에 정신이 쏠려 있는데, 출입문에 달린 풍경
이 요란하게 울린다. 고개를 돌려보니 미모의 젊은 여인이
교복 차림의 여자 중학생과 함께 가게 안으로 들어서고 있었
다. 군살이 전혀 없는 늘씬한 몸매로 삼십 대 초반쯤으로 보
였다.

　함께 온 학생은 여인을 쏙 빼닮은 것으로 보아 친자매로
보이는데, 뚱뚱하기가 말이 아니다. 키는 또래 학생들에 비
해 다소 작은 듯 보이나 허벅지 하나가 같이 온 여인의 허리
통만 하다.

　나지막한 귓속말을 주고받으며 진열장을 둘러보고 있다.
잠시 뒤 고급스러워 보이는 무화기 하나를 선택하더니, 이어
서 액상 담배를 고르고 있다. 아마도 내일이 어버이날이라
부모님께 선물하려는 모양새였다. 부모님의 건강을 염려하는
기특한 자매들로 보였다.

　이것저것 액상 담배의 향을 맡아 보더니 드디어 하나를 골
라 들고 한걸음 물러선다. 최종 선택은 교복 차림의 동생이
하는 것 같았다. 허브향이 마음에 든다며 손에 든 액상 담
배를 코에다 대고 까불거린다.

"참, 착한 자매들이네, 아빠에게 선물하려고 하는 모양이지?"

내 말이 미처 끝나기도 전에 젊은 여인에게서 폭탄 발언이 쏟아졌다.

"아니요 ~ 저년이 피울 거래요."

손가락으로 교복 차림의 여학생을 가리키며 말한다. 하나뿐인 자식인데 아무리 말려도 금연을 하지 않아, 몸에 덜 해로운 전자담배를 사주러 나왔다고 한다. 갑자기 말문이 막혀버렸다. 그들은 효녀도 자매도 아니었다. 젊은 엄마와 골초 딸이었다.

그건 오해였다

생각할수록 나 자신이 미련하기 짝이 없다.

아무리 중요해도 몰라도 되는 일은 알려고 하지 않고, 당장 불편하지 않으면 고칠 생각을 않는다. 그러다 보니 늘 남들보다 유행에 뒤처진 삶을 살고 있다. 휴대전화도 최근에야 장만하여 겨우 기본 사용법을 익혔다.

며칠 전, 백일을 앞둔 외손녀를 위해 문자 전송법을 배웠다. 딸에게 전화를 걸었다가, 아이가 벨 소리에 잠을 깼다는 소리를 듣고 서둘러 배웠다. 어렵고 복잡할 줄 알았는데 금방 알 수 있었다. 무엇이든 해결하려는 의지가 중요함을 다시 한 번 실감했다.

아침 10시경이면 K 은행 라운지에 모여 담소를 나누는 친구들이 있다. 그들 중 한 친구가 여러 날 보이지 않았는데, 오늘 아침 무척 상기된 얼굴로 나타났다. 변함없이 감색 양복에 붉은 손수건을 접어 상의 윗주머니에 꽂고 있었다. 흘러간 유행이라며 여러 번 귀띔했으나, 좀처럼 바로잡지 않는 그만의 멋이다.

궁금하던 참이라 그간의 안부를 물었더니 황당하게도 집에서 쫓겨났다고 했다. 바람을 피웠다는 이유로 가족들에게 따돌림을 당했다고 한다. 친구들의 시선이 그에게 집중되자 찻잔을 기울이며 천천히 말문을 열었다.

자신의 거래처에 혼자 사는 사십 대 초반의 여성이 있는데, 그녀와 주고받은 문자가 화근이 되었다고 한다. 추석을 앞둔 어느 날, 느닷없이 그 여인이 문자를 보내왔다고 했다. 추석맞이 인사와 함께 앞으로도 계속 삶의 길잡이가 되어 달라는 내용이라고 한다. 우쭐해진 마음에 다소 과장된 답장을 보냈는데 그만 아내에게 들켰다는 얘기다.

미모가 뛰어난 여인도 아니요, 평범한 얼굴에 붙임성이 좋은 사람이라고 했다. 평소 어려운 일이 생기면 자신에게 찾아와 조언을 구하는 사이로, 그냥 아는 만큼 도와주는 관계라고 했다. 결코, 남들이 오해하는 그런 사이도 아니요, 보낸 답장에도 특별한 뜻이 담긴 것은 아니라고 했다.

국문학과 출신답게 문장에 살짝 겉멋을 부렸을 뿐인데, 부인이 오해하여 집안이 발칵 뒤집혔다고 한다. 그 여인이 보낸 "삶의 길잡이"란 단어와 그가 띄운 "새벽녘에 다시 찾는 이불 같은"이란 문자가 부인의 심장에 불을 놓았다고 한다.

가족들 앞에서 공개적인 추궁을 당하고 보니 벼랑에서 뛰어내린 어느 대통령이 생각나더라고 했다. 아무리 변명해도 믿어주지를 않아 홧김에 집을 나와 사촌 형님 집에서 지낸다고 한다.

이제 겨우 문자 전송법을 배웠는데 은근히 신경이 쓰인다. 나도 오해라면 일가견이 있는 사람과 살고 있다. 글을 쓰는 사람들은 '그대'나 '임'이란 단어를 예사로 사용하는데 자칫 방심했다간 같은 처지가 될 것 같다.

휴대전화로 주고받은 문자가 가정불화의 원인이 되고 있다는 얘기는 여러 번 들어왔다. 문자가 음성보다 마음을 전하기는 쉬우나 기록으로 남는 것이 문제다. 험한 꼴 당하기 전에 문자 지우는 방법부터 배워야 할 것 같다.

자신의 잘못이 무엇인지 객관적인 입장에서 판단해달라며 정색을 한다. 하기야 세상 참, 많이도 변했다. 한 세대 전만 해도 찾아온 부인을 술집 문밖에 세워놓고 밤새도록 술을 마셨던 세월이 아닌가?

모든 것이 계절 탓인 것 같다며 푸념을 늘어놓는다. 괜스레 마음이 울적하던 가을날, 생각지도 않았던 문자를 받고 보니 기분이 우쭐해지더라고 한다. 내친김에 한 문장 뽑아서 보냈는데 이런 상황이 되었단다.

이혼을 요구하는 부인의 성화에 집으로 들어가기가 무섭다고 했다. 오랫동안 그를 지켜봐 왔지만, 결코 바람을 피울 위인이 아니다. 점심때 함께 있던 친구들이 식당으로 몰려가도 혼자 집으로 가던 그였다.

한순간의 호기가 부른 촌극寸劇인데 너무 심하다는 생각이 든다. 숨겨진 다른 뜻이 없다면 친구의 기를 꺾어 놓으려는 부인의 속셈이 분명하다. 평소 조심성 많은 친구라 부인으로서는 놓치기 아까운 기회였을 것이다.

고락을 함께하는 부부도 죽을 때까지 기 싸움을 한다더니 아마도 그런 것 같았다. 세월 탓인지 오염된 환경 때문인지는 몰라도, 갈수록 남자들의 기세가 위축되고 있다. 머잖아 인류가 모계사회로 환원할 것을 예언하는 학자들도 생겨나는 추세다.

주변을 둘러봐도 어디든 여자들의 기세가 심상치 않다. 현명한 여성이라면 꺼져가는 남편의 기를 살려 줄 일이다. 강한 것을 더 강한 것으로 이긴다는 생각은 오해일 뿐이다. 부드러움으로 강한 것을 이기는 여성들의 지혜가 필요한 세월이다.

다시 찾은 3번

PART 5

다시
찾은
3번

죽부인竹夫人

가녀린 허리 위에 내 무거운 두 다리를 올려놓았지만, 그녀는 조금도 싫은 내색을 하지 않았다. 오히려 몸을 비틀어 구르더니 엉덩이 쪽으로 부딪혀온다. 그녀와 맞닿은 허벅지 안쪽에 신선한 자극이 일어난다. 스르르 두 눈이 감긴다.

며칠 전, 순천에서 개최된 문학 행사에 다녀오다 오랫동안 벼렀던 일을 실행에 옮겼다. 장마가 끝나면 무더위가 찾아온다는 일기예보를 듣고, 아내에게 말했다가 퇴짜를 맞았던 일이다. 여름밤이면 유달리 뒤척임이 심한 내 잠버릇 때문에 염려해서 한 말인데 실컷 잔소리나 들었던 일이다.

지난날, 남존여비 사상이 대물림되면서 남자들의 권위가 하늘을 찌르던 시절이 있었다. 그 당시 권력가나 부자들 사이엔 공공연히 작은댁 두는 일이 성행하였다. 지금도 형편만 된다면야 누구나 그러고 싶겠지만, 이미 남녀평등을 넘어 여존남비女尊男卑 시대에 들어와 있다.

대부분 작은댁을 숨겨두고 은밀히 만나곤 했지만, 간혹 집으로 데려다 본처와 세력다툼을 시키는 사람들도 있었다. 그때의 피해 의식이 전해오는지 상대가 무엇이든 자신의 자리를 쉽게 내주려고 하지 않았다.

근래에 들어 날씨가 조금만 더워도 잠자리를 옮겨가는 바람에, 여러모로 불편한 점이 많았다. 하지만 피차간에 익숙해진 일을 두고 시비를 걸 수도 없는 일이었다. 이런저런 불편함을 감수하며 지내다 생각을 굳혔다.

죽세공竹細工으로 유명한 담양 읍내에 들러 마음에 쏙 드는 죽부인을 구해서 데리고 왔다. 함께 갔던 일행들과 저녁식사를 하면서 다소 과하게 반주를 마신 뒤, 죽부인을 안고 짐짓 휘청거리는 걸음으로 대문을 들어섰다.

귀가를 기다리는 아내에게서 아무런 저항이 없다. 괜히 혼자서 마음을 졸였던 것 같았다. 하기야 다소 몸값을 비싸게 치르긴 했지만, 내가 한 일이 법적으로 문제가 되거나 도덕적으로 비난받을 일은 아닐 것이다.

예상을 빗나간 반응에 잠시 허탈감이 밀려왔다. 그러나 내

품에 꼭 안겨있는 죽부인을 도끼눈을 뜨고 바라보던 아내를 생각하면 지금도 웃음이 나온다. 은연중에 경쟁자를 데리고 온 것 같은 야릇한 기분도 들었다.

나를 따라온 죽부인은 이제 한창 피어나는 이십 대 초반의 젊은 여인네에 속한다. 죽부인을 만드는 대나무는 3~4년생이 가장 좋고, 매끄러운 겉살로 만든 것을 최상품으로 치고 있다. 수령이 오래되거나 속살로 만들어진 것은 탄력이 적고 표면이 쉽게 거칠어진다고 한다.

잎이나 꽃보다 소리가 아름다운 대나무로 만든 죽부인은, 중국 송나라 때부터 있었다고 전해온다. 지조가 높고 절개가 곧아 유산을 상속할 때도 죽부인만은 자식이 소유할 수 없었다고 했다. 살아오면서 잘못된 선택을 할 때마다 애꿎은 팔자타령이나 했는데, 이번엔 제대로 맞춘 것 같았다.

한번 곁에서 멀어지면 기나긴 인고의 시간을 거친 뒤, 다시 부름을 받는 것이 그녀의 운명이다. 짧은 여름밤의 사랑이 못내 아쉬웠던 탓일까? 금실 좋은 부부도 함께하기 어렵다는 무더운 밤을 온몸을 바쳐서 헌신한다. 세상사에 지친 남정네의 온갖 뒤척임과 땀방울을 알몸으로 받아주며, 한 줄기 바람 같은 사랑을 펼친다.

죽부인을 데리고 온 것은 무척이나 잘한 일이었다. 하룻밤

같이 지내보니 요즘 유행하는 말로 정말 쿨(cool)한 여인이었다. 잠결에 조금만 다리가 겹쳐도 들어서 내치기 바쁜 사람과는 비교가 되지 않았다.

아침 운동을 나서며 침구를 정리하는 아내의 눈치를 살폈더니, 잔뜩 찌푸린 표정으로 죽부인을 노려보고 있었다. 잠시 뒤 거칠게 잡아 일으키더니 무슨 트집이라도 잡으려는 듯 이리저리 세밀하게 살피고 있었다.

불안에 떠는 죽부인을 혼자 두고 나서니 은근히 뒤가 켕겼다. 서둘러 운동을 마치고 돌아오니 죽부인이 보이지 않았다. 기어이 일을 당했다고 생각하는 순간, 아내가 예쁘게 치장한 죽부인과 함께 들어왔다. 어차피 한집에서 살 건데 알몸으로 둘 수 없어 옷 한 벌 맞춰 입혔다고 한다.

얇은 모시옷이라 은근히 속살이 내비치는 죽부인의 모습이 한결 시원해 보였다. 혹시라도 내게 생채기라도 낼까 염려한 아내의 속 깊은 배려가 느껴졌다. 오랜만에 아내의 모습이 예쁘게 느껴졌다. 이래저래 오늘 밤은 내 좌우가 모두 시원할 것 같다.

목욕탕에서

하얀 김이 피어나는 욕탕 속으로 천천히 몸을 담근다. 물의 온도가 견딜만하여, 내친김에 턱밑까지 푹 담근다. 거칠고 건조했던 피부가 따끈한 물을 만나자 천천히 기지개를 켜고 일어난다. 찌릿찌릿한 느낌이 온몸으로 퍼져나간다.

몇 차례 심호흡하자 스르르 눈이 감긴다. 오랜만에 느껴보는 편안하고 기분 좋은 느낌이다. 목욕할 때마다 자주 찾아야겠다고 생각을 하지만, 현실은 늘 그렇지 못했다. 바쁜 일상에 쫓기다 보면 목욕은 뒷전으로 밀려나기 일쑤였다.

매일 목욕탕 출입을 하는 사람들도 있다. 그들은 하루만 목욕을 걸러도 온몸이 근질거려 참을 수 없다고 한다. 무척 여유롭고 한가한 소리로 들린다. 시간과 비용이 아까워 한

달에 한 번도 어려운 사람이 있다. 잦은 목욕이 피부에도 나쁘다고 하니 과해서 좋은 건 없을 것 같다.

시간이 지나자 온몸이 나른해지며 뼈마디가 모두 풀어진 느낌이 든다. 탕 밖으로 나오려는데 도무지 일어설 수가 없다. 물귀신이라도 붙었는지 엉덩이가 물에서 떨어지지를 않는다. 욕조 모서리를 잡고 힘을 쓰니 겨우 "쩍" 소리를 내며 떨어진다.

조그마한 플라스틱 의자에 앉아 머리를 감는다. 정신이 맑아지고 기분이 상쾌해진다. 거울 속에 비친 옆 사람의 엉덩이가 유별스레 크게 보인다. 문득 누군가가 엉덩이가 큰 이유를 요강에 빠지지 않기 위해서라고 하던 말이 떠올라, 혼자 미소를 짓는다.

저만치 삼십 대 초반으로 보이는 젊은이가 네댓 살쯤 되는 사내아이를 씻기고 있다. 아이는 간지럽다며 이리저리 몸을 피하며 깔깔거린다. 잠시 뒤 이번에는 아이가 젊은이를 씻겨 준다. 고사리 같은 손으로 거품이 잔뜩 묻은 수건을 들고 비누칠을 해주고 있다. 젊은이는 흡족한 표정을 지으며 느긋하게 등을 맡겨놓고 있다. 목욕을 매개로 부자간에 소중한 정을 쌓아가고 있다.

문득 아이들이 어렸을 적 일을 생각해 본다. 나는 왜 저렇게 하지 못했을까 하는 후회가 밀려든다. 그때는 매번 아내가 아이들과 목욕을 다녔던 것 같다. 아마도 내가 아이들을 제대로 씻기지 못해서 그랬을 것이다. 아이와 친해지고 소중한 추억을 만들 기회를 스스로 놓쳐버린 셈이다.

행복은 언제나 작고 평범한 일상 속에 숨어있음을 그땐 왜 몰랐을까? 하기야 지금도 주변에 널려있는 행복을 알아보지 못하고 불만 속에서 살고 있다. 따뜻한 물속에만 들어가도 이렇게 좋은데, 세상을 너무도 어렵게 사는 것 같다.

체온이 떨어져 다시 욕탕 안으로 들어갔다. 탕 한가운데 거품 발생기가 있어 항상 물이 끓어오르는 것처럼 보인다. 알을 품은 가재처럼 슬금슬금 기어들어 부글거리는 거품 속에 몸을 맡겨 본다. 가랑이 사이로 공기 방울이 솟아오르며 기분 좋은 자극이 온몸으로 퍼져나간다.

한동안 시간이 흐른 뒤 욕탕 밖으로 나와 비누칠을 하고 몸을 헹궜다. 샤워기의 찬물로 열기를 식히며 목욕을 마무리했다. 목욕탕을 나서는데 불어오는 바람결이 더없이 부드럽고 상쾌하다. 문득 어디서 누구를 만나도 좋을 것 같은 자신감이 솟아난다. 목욕탕 입구에 세워놓은 커다란 거울 속으로, 아직은 쓸 만한 사내 하나가 걸어가고 있다.

새벽에 찾아온 손님

새벽하늘이 금방이라도 비를 쏟아부을 것 같다. 곁에서 잠들어 있던 아내가 시계를 보더니, 몸을 벌떡 일으킨다. 비 온 뒤 과일은 맛이 없다며, 주섬주섬 옷을 챙겨 입고 밖으로 나간다.

잠시 뒤, 새벽시장에서 포도 두 상자를 사 들고 왔다. 달콤한 향기가 거실 가득 퍼져나간다. 알맹이가 영글고 송이가 무척이나 탐스럽다. 올해는 마른장마가 길어 포도 농사가 잘 된 모양이다.

거실 바닥에 상자를 내려놓는 순간, 청개구리 한 마리가 폴짝 뛰어내린다. 낯선 환경에 놀랐는지 납작 엎드린 채 두 눈만 껌뻑이고 있다. 십 원짜리 동전만 한 크기로 짙은 녹색인데 배 부분이 유달리 희다. 툭 튀어나온 검은 눈동자가 우습게 보이나 귀엽고 앙증스럽다.

예상치 못한 새벽 손님의 출현에 깜빡 정신을 놓아버렸다. 뒤늦게 상황을 파악하고 손을 뻗었을 땐 이미 늦은 행동이었다. 먼저 정신을 차린 놈이 잽싸게 옆으로 튀어 버린다. 몸집이 작고 재빠른 것이 젊은 수놈 같아 보인다. 암놈 꽁무니를 쫓아 남의 포도밭에 들어갔다가 잘못 실려 온 것 같다.

한참이 지나도 냉장고 밑으로 숨어든 놈이 소식이 없다. 막대기로 쑤셔도 반응이 없고, 불빛을 비춰도 보이지 않는다. 잔뜩 몸을 낮추고 어둠 속을 살피고 있는데 불현듯 한 친구의 모습이 떠오른다.

재활의학과 교수로 있는 고교 동창생이다. 며칠 전 그를 따라 어느 시상식에 다녀온 적이 있다. 인근 도시에 있는 행사장으로 가는 동안 그는 차를 운전하면서도 줄곧 수상자에 관한 얘기로 들떠있었다.

걷기를 포기한 젊은 여인을 자신이 걷게 했다는 것이다. 격려와 정성을 다한 재활 치료로, 모두가 불가능하다던 일을 해냈다고 한다. 그 여인이 국제대회에서 큰상을 받았다니 친구의 기쁨을 짐작할 수 있을 것 같았다.

그가 당직을 서던 날, 새벽녘에 구급차에 실려 온 그녀를 보고 두 번 놀랐다고 한다. 온몸이 상처투성인데 얼굴엔 긁힌 자국 하나 없었다고 한다. 그리고 그녀의 모습이 놀랄 만큼 예뻤다는 얘기다.

몇 번이나 삶을 포기하려고 했던 그녀를 일으켜 세운 것은, 결코 미모美貌 때문이 아니라 했다. 모두가 포기하는 환자라 오기傲氣가 발동했다고 한다. 절망하는 모습이 애처로워 보란 듯이 일으켜 세워보고 싶었다고 했다.

어느 날 우연히 운명처럼 다가와 새로운 삶을 시작했던 여인이, 그를 시상식에 초대했다는 것이다. 만사를 제쳐놓고 찾아가는 길이라고 했다. 나와의 선약 때문에 부득이 함께 가는 중이라 했다.

저녁 무렵이 되어도 소식이 없었다. 그냥 두면 분명 말라 죽거나 굶어 죽을 텐데, 몹시 신경이 쓰인다. 밤이 되자 은근히 조바심이 났다. 자리에 누웠지만 계속 놈의 모습이 어른거렸다.

혹시나 하여 욕실 문을 열어두고 잠들었는데 짐작이 맞았다. 이른 아침, 욕실 바닥을 신나게 뛰어다니는 놈을 붙잡았다. 물 냄새를 쫓아 그곳으로 갔던 모양이다. 밤새 어둠 속에서 헤매었을 텐데 아직도 팔팔하다.

우물가 수련이 자라는 돌 수조 속에 놓아 주었더니, 동그란 잎사귀에 앉아 숨을 헐떡인다. 수조 속에는 먹잇감과 친구 할 물고기들이 많아 놈이 살기엔 최적일 것이다. 주변엔 나무들도 있어 숲속 같은 느낌도 들 것이다.

친구를 찾아와 반갑게 인사하는 그녀를 보았다. 늘씬한 키에 상당한 미모를 지닌 젊은 여인이었다. 전혀 다쳤던 사람 같지가 않았다. 겉으로 봐서는 보통 사람과 조금도 다르지 않았다.

그녀를 지도했다는 젊은 코치가 경호원처럼 붙어 다녔다. 하객들이 많은 탓도 있겠으나 친구에게 인사하는 모습이 영 못마땅했다. 엎드려 큰절을 올려도 부족할 터인데 눈도 제대로 맞추지 않아 보였다. 왠지 건성인 느낌이 들었다. 몇 차례 과장된 웃음을 짓는가 싶더니 이내 자리를 옮긴다.

그녀가 사람들 사이로 모습을 감췄지만, 친구는 입을 다물지 못했다. 자신을 믿고 힘든 재활 치료를 받아준 그녀가 좋기만 하다는 것이다. 걸음마 연습을 하던 중 다리에 힘이 풀리면 수시로 자신의 품에 안겼다고도 했다. 두 눈을 지그시 감고 추억에 젖는 듯 보였다.

놈이 어떤 좋은 곳에서 살았는지는 모르지만, 주어진 환경을 보면 떠나기 싫을 것이다. 수조 속 물고기들과 어울려 잘 지냈으면 싶다. 밤새도록 신경이 쓰였는데 비로소 안도의 한숨이 나온다.

살던 곳을 떠나온 것은 불행이나, 놈이 나를 만난 것은 분명 행운일 것이다. 만약 그 포도 상자가 다른 곳으로 팔려나갔다면, 그의 운명은 또 다른 방향으로 전개되었을 것이다.

문제는 혼자서 살아갈 수 있을지가 염려된다. 모든 생명체는 환경에 적응하여 살아간다지만, 외로움은 배고픔보다 참기 어려운 일이다. 세월이 가면 누구나 혼자일 수밖엔 없지만, 분명 고독이란 견디기 힘든 요소다.

수상 소감을 말하는 순서가 되었다. 새로운 삶을 안겨준 친구에게 분명 감사의 말이 있을 것으로 짐작했다. 어쩌면 대중 앞에 일어서게 하여 만장의 박수갈채를 받게 할 것이란 생각도 들었다. 그러나 모두 빗나가고 말았다.

종이에 적은 소감문을 또박또박 읽어 내려가더니, 자신을 지도해준 코치에게 모든 영광을 돌린다는 말로 끝을 맺어버린다. 친구에 대한 감사의 말은 한마디도 없었다.

은근히 괘씸한 생각이 들었다. 배신감마저 느껴졌다. 곁눈길로 친구를 보니 몹시도 씁쓸한 표정을 짓고 있었다. 언뜻, 일찍 혼자된 처지라 그녀를 마음에 두었을 수도 있다는 생각이 들었다.

우물가를 벗어나며 다시금 뒤를 돌아본다. 자신을 구해준

은혜를 알기라도 하는 듯 아직도 연잎에 앉아 나를 바라보고 있다. 오른쪽 앞발을 이마에 대고 마치 고맙다는 인사라도 하는 모양새다.

개구리를 보면 습관적으로 떠오르는 선입견이 있다. 어려웠던 올챙이 시절을 생각 못 하는 동물이란 것이다. 어쩌다 그런 낙인이 찍혔는지는 알 수는 없으나 그 말이 사실이라면, 우리는 개구리 떼 속에서 살고 있다.

후드득 빗방울이 떨어진다. 오랜 가뭄으로 모두가 기다리는 비라 반갑기 짝이 없다. 생각할수록 궁금증이 더해진다. 개구리는 올챙이 적 생각을 못 한다는 말을 누가 시작했을까? 왜! 하필 개구리였을까?

안구眼球 건조증乾燥症

처방전을 들고 눈물 약을 찾아 약국으로 가고 있다. 그 흔한 눈물이 부족하다니 도무지 이해가 되지 않는다. 지난밤 연속극을 볼 때도 눈물이 핑 돌았는데 그래도 아니란다. 스스로 부족함이 많다는 것을 익히 알고 있지만, 눈물조차 모자랄 줄은 금시초문이다.

약국으로 가는데 온갖 생각들이 머릿속을 맴돈다. 인정머리 없는 냉혹한 사람을 두고 피도 눈물도 없다고 하는데, 내가 그런 부류의 사람이 된 것 같다. 그나마 피가 부족하다는 말은 없었으니 불행 중 다행이다.

처방전을 쓰고 있는 의사에게 "세상에, 눈물도 팔아요?"

했더니 "돈으로 못 살 것이 뭐가 있겠어요?" 하며 웃는다. 요지경 같은 세상, 별것도 다 판다는 생각이 든다. 기왕이면 웃음을 주는 약도 팔았으면 싶다.

의외로 같은 처방전을 받아든 사람이 많은 걸 보면, 눈물 장사가 될 법도 했다. 눈물을 사고파는 세상, 물질문명의 정수를 보는 것 같다. 갈수록 인정은 메마르고 세상이 삭막해져 가니 눈물의 수요가 늘어날 것도 같다.

젊은 약사가 눈물 약 한 병을 내어준다. "불편할 때 수시로 넣으세요" 하고 말한다. 약을 받아들며 농담 삼아 웃음 약은 없느냐고 물었더니 그것도 있다고 한다. 웃음 가스라고 하는데 아산화질소에 산소를 섞은 것으로 긴장을 완화하여 불안감을 없애준다고 한다.

천장을 향해 누워서 눈물 약을 넣고 있다. 약인지 눈물인지 모를 액체가 주르륵 눈가로 흘러내린다. 어릴 적 그 많았던 눈물들 다 어디로 갔는지, 언제쯤 울어보았는지 기억조차 없다. 눈물만큼 정신건강에 좋은 약도 없다는데, 너무 오랫동안 울지도 못한 채 살아온 것 같다.

아무도 없는 곳에서 마음껏 소리 내어 울어보고 싶다. 꾹꾹 눌러두고 살아온 슬픈 일들을 모두 들춰내어, 속이 후련해지도록 울어보고 싶다. 어릴 적 실컷 울고 나서 평화롭게 잠들었던 기억이 난다. 울음 뒤에 오는 잠은 깊고도 달콤했다.

남자는 눈물을 보이면 안 된다는 주술 같은 말에 길들어져, 어지간한 슬픔은 내색조차 하지 않고 살아왔다. 평생을 참고만 살았던 탓일까? 애써 슬픈 감정을 떠올려도 눈물샘이 꿈쩍을 하지 않는다. 어차피 세상일 눈물로 감당할 수 없어 아예 말라버린 것 같다.

긴 세월 울지 못해서 고였던 눈물이 상했을까? 눈이 불편하여 병원을 찾았더니, 각종 검사와 안압을 측정하고 동공 속까지 들여다본다. 안구 건조증이란 최종 진단이 나왔다. 큰 병이 아니라 다행이지만, 눈물이 부족하다니 갑자기 몹쓸 사람이라도 된 기분이 든다.

눈물에도 종류가 있다고 한다. 슬픈 일을 당했거나 자극을 받았을 때 흐르는 눈물은 반사적 눈물이고, 윤활 작용이나 영양공급 또는 세균이나 이물질을 씻어내기 위해 흐르는 눈물은 기본적 눈물이라고 한다. 내게 부족한 것은 기본적 눈물이라고 했다.

슬픈 감정에도 면역이 생기는 것일까? 사소한 일에도 코끝이 찡하고 가슴이 뭉클했는데, 계절이 바뀌어 흰 눈이 내려도 무덤덤하기만 하다. 어쩌다 세상 서러움에 마음이 울고 있어도 눈물이 없다. 한데 어울려 웃고 울며 살았는데 어떻게 이 지경이 되었을까?

가슴을 닫고 세상을 머리로만 살아가는 탓인 것 같다. 이제라도 잃었던 눈물을 되찾아야겠다. 숨겨왔던 감정들 모두 털어놓고, 촉촉이 젖은 눈빛으로 세상을 바라보고 싶다. 눈물이 대변하는 것은 슬픔만이 아니다. 환희에 찬 순간에도 눈물은 흐른다. 모든 아름다움의 끝에는 눈물샘이 자리하고 있다. 그곳에 기쁨과 슬픔이 함께 뿌리내리고 있다.

물은 살아있다

노태우 정부 시절 사람들은 그를 '물대통령' 또는 '물태우'라고 불렀다. 그분이 물을 잘 다스려 붙여진 별명이 아니라 우유부단한 성품을 물에다 빗대어 한 말이다. 용기 모양에 따라 자유자재로 변하는 물같이 처신하지 말고 국정 운영을 똑부러지게 하라는 의미였다.

물과 관련된 말이 사람들 입에서 수없이 회자되고 있지만, 사람이 살아가는데 물만큼 중요한 것도 없다. 우리 몸은 약 70%가 물로 되어있고, 사람의 씨앗으로 볼 수 있는 수정란도 99%가 물이라고 한다.

일본의 물 박사 '에모토마사루' 씨는 그의 저서 『물은 답을 알고 있다』에서 물도 의식을 가진 생명체라고 했다. 그는 실험에서 '사랑과 감사'라는 글을 보여주었을 때 육각형의 아름다운 결정체로 보였던 물이, '악마'라는 글을 보고는 중앙이 주변을 공격하는 형상으로 바뀌더라고 했다.

물은 살아있는 물질로서 모든 생명체의 근간이 되고 있다. 세상 어디에도 물 없이 살아갈 수 있는 생명체는 없다. 우리 몸은 물이 2%만 부족해도 갈증을 느끼게 되고, 10%를 넘어서면 죽음에 이른다고 한다.

살아오면서 물만큼 흔하게 쓴 것도 없었다. 전국 어디로 가든 맑은 물이 흘러넘쳤고, 평생 부족함 없이 사용할 것으로 믿었다. 그랬던 물이 갈수록 부족해진다고 한다. 사람들이 안전하게 마시고 이용할 수 있는 물이 급속도로 줄어들고 있다는 말이다.

매년 3월 22일은 유엔이 정한 '세계 물의 날'이다. 물의 소중함을 일깨워 낭비와 오염을 막고자 제정된 날이다. 유엔의 한 연구소에서 아프리카 사막지대에 있는 나라들과 함께 우리나라를 물 부족 국가로 분류했다고 한다. 이대로 가면 머잖아 물 기근 국가로 전락轉落한다는 의미다.

마당 동편에 오래된 우물 하나가 있다. 입구를 두꺼운 철판으로 막아놓고 허드렛물로 쓰고 있는데, 한때는 동네에서 물맛 좋기로 이름난 우물이었다. 상수도가 보급된 뒤에도 한동안 물을 길어 오는 사람들이 있을 정도였다.

힘들게 길러다 아껴서 사용했던 물이, 수도관을 통해 밤낮으로 쏟아져 나오자 마음껏 쓰고 버리기 시작했다. 버려진 물은 주변을 오염시키고, 지하로 스며들어 동네 우물을 병들게 했다. 지구촌 곳곳에서 발생하는 원인 모를 질병도 대부분 오염된 물 때문이라고 한다.

근래에 TV에서 아프리카 여인들이 머리에 물통을 이고 물을 찾아가는 긴 행렬을 본 적이 있다. 중국도 100년 만에 찾아온 가뭄으로 천만에 가까운 사람들이 물 기근을 겪고 있다고 했다. 모두가 물을 하찮게 생각하고 낭비와 오염을 자초한 탓이다.

물에 이어 공기조차 오염이 심해져 가고 있는 지구촌이다. 해가 중천에 뜬 한낮이나, 미세먼지가 창공을 뿌옇게 흐려놓고 있다. 마치 안개 속 세상을 보고 있는 것 같다. 생수병을 들고 다니는 일은 이미 일상화되었고, 머잖아 산소통을 메고 다니는 세월이 올 것 같다.

OECD 회원국 가운데 청소년 흡연율과 물 소비량이 우리나라가 1등이라고 한다. 가슴 답답한 소식이 아닐 수 없다. 맑은 물과 깨끗한 공기를 마음껏 누리고 살았던 그 시절이

그리워진다. 푸른 이끼가 살아서 일렁거리는 옛 우물에서 길
러온 시원한 물 한 대접을 마시고 싶다.

바퀴 없는 캠핑카

    모두가 다시 돌아가기 위해 집을 나설 때, 어디든 가고 싶은 곳으로 떠나는 사람들도 있다. 그들에게는 출발점만 있을 뿐 떠나온 길이 아무리 멀어도 돌아갈 생각을 않는다. 정착이 주는 안정보다 한 번뿐인 삶을 즐기며 사는 사람들이다.

    은행 휴게실에 앉아 친구들과 커피를 마신다. 연말이라 그런지 많은 사람이 바쁘게 오가고 있다. 한창 대화가 무르익을 무렵, 한 중년 남자가 초대형 배낭을 메고 들어온다. 남루한 차림새가 정처 없는 방랑자 모습이다.

    입구에 있던 사람들이 재빨리 길을 내주고 있다. 안으로 들어서기가 무섭게 배낭을 던지듯 내려놓는다. 질긴 천으로 만든 보기 드문 초대형 배낭이다. 두꺼운 겨울 이불 두 채를 한꺼번에 말아 놓은 크기다.

천천히 현금지급기 앞으로 다가서더니 통장 하나를 밀어 넣는다. 아마도 입금된 내용을 확인하려는 모양이다. 틀림없이 국가에서 지급하는 생활보조금일 것이라는 생각이 든다.

잠깐 한눈을 판 사이 배낭 속 물건을 대기실 바닥으로 꺼내고 있다. 잡다한 소지품과 옷가지들이 무더기로 쏟아져 나온다. 각종 주방 기구와 취침 장비도 보인다. 생활에 필요한 도구들이 배낭 속에 모두 들어있다.

문득 지난여름 바닷가에 세워진 캠핑카를 본 기억이 난다. 부의 상징처럼 여겨지는 캠핑카를 신기한 눈으로 보고 있을 때, 바다 쪽에서 두 사람이 걸어오고 있었다. 사각 수영복에 짙은 선글라스를 쓴 중년 남자와 비키니 차림의 젊은 여성이었다.

남자가 차를 향해 리모컨을 누르자 닫혔던 문이 자동으로 열렸다. 궁금증이 돌아 차 내부를 엿보니, 침대와 TV는 물론 가스레인지와 미니 냉장고까지 갖춰져 있었다. 우측 모서리에 이동식 양변기도 보였다. 어디로든 떠날 준비가 되어있는 바퀴 달린 집이었다.

머잖아 이동식 주거 형태가 유행할 것으로 예측하는 사람들이 늘어나고 있다. 캠핑카의 가격이 주택과는 비교가 되지 않으니 한 번쯤 생각해 볼 일이다. 근무처 가까운 곳에 세워 두면 무척 편리할 것 같다. 출퇴근 걱정 없고, 주말이면 가족이 함께 여행도 떠날 수 있을 것이다.

주택을 재산적 가치로만 보는 것은 낡은 생각이다. 요즘 머리가 돌아가는 젊은이들은 집을 사려고 노력하지 않는다. 주거개념을 중시하여 어디든 편리한 곳에 세 들어 살면서, 세금도 피하고 무주택의 혜택도 누린다.

며칠 전, TV에서 화물차에 조립식 주택을 싣고 전국을 떠도는 사람들을 보도한 적이 있다. 그들은 자유분방한 자신들의 삶을 보란 듯이 공개하며, 도시를 떠나는 것이 진정 자유를 누리는 길이라고 했다. 모든 것을 내려놓는 삶 속에 참된 행복이 있다고도 했다.

찻잔을 내려놓으며 유심히 그의 행동을 지켜본다. 쏟아놓은 물건들 사이에서 검은 비닐봉지 하나를 찾아들더니 다시 창구 앞으로 다가선다. 봉지 속에 든 낡은 통장과 고무줄에 묶인 지폐뭉치를 꺼내더니 창구 안으로 밀어 넣는다. 동전도 한 주먹쯤 되어 보인다.

주위 사람들의 시선을 전혀 의식하지 않고 있다. 무척 여유로움이 느껴지는 행동거지다. 멋진 캠핑카라도 꿈꾸는 것일까? 표정으로 보아 조금씩 채워가는 행복을 터득한 사람 같다. 한꺼번에 너무 많은 것을 소유하여 불편함을 감내하며 사는 사람들보다 한결 평온한 모습이다.

저물어가는 세밑에 기이한 사람과 초대형 배낭을 지켜보고 있다. 일이 끝났는지 다시 꾸린 배낭을 메고 은행 문을 나선다. 아직은 바퀴가 없는 자신만의 캠핑카와 함께 인파 속으로 사라져가고 있다. 어딘가 숨어있을 희망과 행복을 찾아 정처 없이 떠나고 있다.

성매매 방지법

　TV 화면에서, 도요목 갈매깃과의 쇠제비갈매기 한 마리가 굵직한 물고기를 물고 암컷들 사이를 뒤뚱거리며 걸어가고 있다. 흡사 술에 취한 사내가 홍등가 밤거리를 배회하는 모습이다.

　물고기가 탐이 난 암컷 한 마리가 은근슬쩍 수컷 앞으로 다가서더니 자세를 낮추고 엉덩이를 치켜든다. 그 순간, 재빨리 암컷 등으로 올라탄 수컷이 몸을 부르르 떨며 짝짓기를 한다. 암컷은 그 대가로 수컷이 주는 물고기를 맛있게 받아먹는다.

　곳곳에서 잡아 온 물고기를 앞에 놓고 암컷과 흥정을 하고 있다. 성을 매매하는 행위가 사람들에게나 있는 줄 알았는데 동물의 세계에도 있었다. 그들 곁에는 수많은 다른 새들이 지켜보고 있었지만, 짝짓기를 방해하거나 암컷이 받은 물고기를 가로채지는 않았다. 그들의 거래는 평화롭고 지극히 자연스럽게 이뤄지고 있었다.

성매매 방지법이 시행된 지도 여러 달이 지났다. 법의 시행을 둘러싸고 시작부터 말이 많았다. 어차피 막을 수도 없는 일을 한다거나, 시급한 민생법안을 미뤄두고 급하지 않은 일로 사회를 혼란스럽게 한다며 불만들을 터트렸다. 찬성하는 사람도 있었지만, 부작용을 말하는 사람도 많았다.

법을 만든 쪽에선 여성들의 권익을 보장하는 일이라고 주장했다. 하지만, 정작 그 수혜자로 지목된 성매매 여성들이 생존권 사수를 외치며 법 시행을 반대하고 나섰다. 성매매 방지법이 오히려 자신들의 권익을 침해한다는 것이다. 그들에게 필요한 것은 성매매 금지가 아니라 인권을 유린하고 금전을 착취하는 악덕 포주들로부터의 보호였다.

수컷이 물고 있는 고기가 마음에 들지 않으면, 암컷은 무관심한 척 자리를 옮겨버린다. 안달이 난 수컷이 더 큰 물고기를 가져와서 암컷을 유혹한다. 간혹 짝짓기를 마친 뒤 물고기를 주지 않고 그냥 달아나는 수컷도 있었다. 욕심만 채우고 화대를 떼어먹는 나쁜 놈인가 했는데, 자신이 파 놓은 구덩이에 알을 낳도록 암컷을 유인하는 행위라 했다.

요즈음 성매매와 관련된 얘기들이 수면 아래로 가라앉았다. 인류의 가장 오래된 직업을 폐쇄해서는 안 된다거나, 한 곳을 막으면 다른 쪽이 커지는 풍선효과로 실효성이 없다고 떠들더니 어느 순간 잠잠해져 버렸다. 무엇이든 시간이 지나면 쉽게 망각해 버리는 국민성 덕분인지도 모른다.

법을 피해 성을 매매하는 행위가 음지로 숨어들었다면, 더 큰 사회적 문제가 일어날 수도 있다. 많은 사람이 우려했던 에이즈나 각종 성병이 급속히 확산할지도 모를 일이다.

달아나는 수컷을 쫓아간 암컷이 물고기를 받아먹고는, 수컷이 파놓은 구덩이에 알을 낳고 있다. 그들은 성매매 방지법이 시행된 것을 전혀 모르고 있었다. 법에 따라 벌금형을 선고받거나 지상에 신상이 공개될지도 모를 일이다. 그래서일까? MBC 자연 다큐멘터리는 그들의 성매매 행위를 낱낱이 녹화하여 공개하고 있었다.

금연禁煙을 위하여

새해부터 담뱃값을 인상할 것이라는 보도가 흘러나오고 있다. 예고 없는 인상으로 애연가들의 반발을 염려한 사전작업 같다. 아직 두 달은 족히 남았으나 발 빠른 상인들이 벌써 사재기를 시작한 모양이다. 담배 수급에 차질이 생기는지 사재기 행위를 엄하게 다스린다는 보도가 뒤따른다.

나라 경제를 위기 속으로 몰아넣었던 외환위기가 잠잠해지자 전매청이 발 빠르게 움직이고 있다. 머잖아 품질개선을 외치며 담뱃값이 인상될 것 같다. 등급에 따라 담뱃값을 한꺼번에 인상한다는 얘기도 들려오고 있다.

국가에서 하는 일이니, 애연가들은 금연하거나 가격 인상을 감내할 수밖에 없다. 분노한 애연가들이 다시 한 번 금연을 시도할 것 같다. 그러나 며칠 지나지 않아 나약한 의지력을 한탄하며, 패배의 연기를 뿜어낼 것이다. 그때쯤이면 인상된 담뱃값은 슬그머니 자리를 잡는다.

피우던 담배의 맛이 이유 없이 떨어지면, 언제나 품질개선을 외치며 새 담배가 나온다. 하지만 이름이 바뀌고 인상된 가격을 빼면 달라진 것은 없다. 지금까지 가장 비싼 담배만 피웠으니 당연히 최고급 재료였을 것이다. 그 담배 맛이 떨어졌다는 것은 새로 나올 담배를 위해 재료에 변화를 주었다는 증거다.

담뱃값이 인상되면 한동안 양담배 소비가 늘어난다. 품질은 개선되지 않고 가격만 인상하는 것에 대한 반발이다. 같은 값이면 질 좋은 담배를 피우겠다는 저항심의 작용이기도 하다. 담뱃값이 오를 때마다 품질을 개선했다면 우리나라 담배가 세계 최고 수준이어야 마땅하다.

가격 인상으로 한동안 담배 소비가 줄어들면, 건강을 위해 금연을 권장하는 보도가 나온다. 성분을 분석해보니 양담배가 더 해롭다는 광고도 슬며시 곁들인다. 아울러 나라 경제를 위해 국산 담배를 애용하자는 호소도 잊지 않는다. 병 주고 약 주는 그들의 저의가 곱지만은 않다.

가끔 건강과 담배와의 관계를 생각해 보지만, 나는 아직도 명쾌한 결론을 내리지 못하고 있다. 애연가들 대부분이 그렇듯이 나 또한 여러 번 금연을 시도했으나 실패를 거듭했다. 담배의 해로움보다 삼만 원 정도로 한 달을 즐길 수 있는 낙을 외면할 수가 없었기 때문이다.

나는 비교적 늦은 나이에 흡연을 시작했다. 사회에 발을 딛고 나서 멋으로 피우다가 골초가 된 사람이다. 어쨌거나 담배는 중대한 결심 앞에서 생각할 수 있는 여유를 마련해 주며, 슬픔과 분노를 한 박자 늦춰 잡는 솜씨가 대단하다. 자신을 불태워 애연가의 마음을 위로하는 고마운 악마 같은 존재다.

지난가을 건강이 좋지 않아 단골 의사를 찾았던 적이 있었다. 내가 생각해도 건강이 심각한 것 같아, 남은 담배를 몽땅 휴지통에 버리고 갔다. 가슴이 답답한 증상으로 보아 당연히 금연을 권할 것으로 생각했는데, 진찰 후 평소처럼 약을 지어준다. 불행인지 다행인지는 모르나 금연에 대해서는 한마디 말이 없었다.

한 달쯤 지나 건강을 회복했으나 금연할 수 있는 절호의 기회를 놓친 것이 아쉬웠다. 그 후 다시 의사를 찾았을 때 원망하는 투로 얘기한 적이 있었다. 내 얘기를 듣더니 몹시 미안해하면서 흡연과 상관이 없어 금연을 권하지 않았다고 했다. 앞으로 다른 환자를 진료할 땐 참고하겠다며 웃었다.

지금까지의 사회 풍조가 흡연을 성인 남자들의 특권처럼 생각해왔는데, 요즈음 남녀노소 구분이 없어졌다. 만인 평등시대에 살면서 여성들의 흡연을 탓할 생각은 없지만, 그래도 흡연하는 여성을 보면 왠지 천박한 느낌이 든다. 청소년들도 일찍 시작할수록 나쁘다니 서두를 필요가 없을 것 같다.

근래에 미국에서 담배를 준 마약으로 분류했다고 한다. 애연가들의 건강과 권익을 위해 담배회사에 이천억 달러가 넘는 금액을 보상금으로 예치하라는 명령도 내렸다고 한다. 세계 굴지의 담배회사들이 모두 받아들였다고 하니, 남의 나라 얘기지만 부러운 생각이 든다.

담배를 피우지 않는 사람은 그 냄새를 아주 싫어한다. 나는 흡연을 하지만, 실내에 냄새가 배는 것을 싫어해 가능한 밖에서 피운다. 담배는 혼자 있을 때 피우는 것이 가장 맛이 좋다. 금연의 필요성을 느끼지 못한다면 최소한의 흡연 예절은 지켜야 마땅하다.

저녁 식사 후 베란다에서 야경을 내려다보며 피우는 담배 맛은 가히 일품이다. 일상의 번잡스러움에서 벗어나 힘들게 도착한 평화의 시간이라 모든 긴장감이 눈 녹듯 사라진다.

가까이해서는 안 될 담배지만 때로는 친구처럼 약처럼 쓰일 때도 있는 것이 애연가들의 실정이다.

　새해가 다가올 때마다 건강을 위해 금연할 것이란 다짐을 반복해왔다. 연말이 되니 똑같은 고민이 결심을 재촉한다. 이번엔 인상될 담뱃값마저 금연 편에서 손을 들어주고 있다. '새해부터 금연'이란 중대한 결심을 하기 위해, 나는 어느새 담배를 꺼내 불을 붙이고 있다.

잊혀져가는 말들

마음과 마음을 이어주는 아름다운 말들이 있다.

그러한 말들은 들을수록 기분이 좋아져 닫혔던 가슴도 열리게 한다. 순간적으로 끓어오르는 감정을 다스려주고 상대방을 이해할 수 있도록 여유도 갖게 해준다.

조금의 미안함이나 작은 감사만 있어도 아낌없이 주고받았던 그 말들이, 갈수록 듣기 어려워지고 있다. "미안합니다." "고맙습니다." "사랑합니다." 들을수록 정겹고 따뜻했는데 자꾸만 우리 곁에서 멀어져가고 있다.

근래에 친구에게서 어려운 부탁을 받았던 적이 있다. 그가 계획하는 일을 일정에 맞춰 진행되도록 도와주는 일이었다. 경쟁자들이 많아 시간을 다투는 일이며 여러 사람의 도움을 받아야 하는 일이기도 했다.

승낙은 했으나 처음 해보는 일이라 난감하기 짝이 없었다. 무엇부터 어떻게 해야 할지 당황스러웠다. 다행히 그 분야에 몸을 담고 있는 친구가 있어, 그의 도움으로 신속하게 자료를 수집하고 계획을 추진해나갔다.

경쟁자들의 면면을 파악하고 문제점들을 점검해 들어갔다. 승자에게만 영광이 돌아가는 일이라 가능한 많은 사람을 만나고 전화도 했다. 오랫동안 연락이 없었던 사람에겐 뜬금없는 전화가 미안하기도 했다.

일이 진척되면서 조금씩 자신감이 붙어가는데 갑자기 친구의 마음이 흔들렸다. 어쩌면 일을 취소하게 될 것 같다고 했다. 황당하고 맥이 풀렸으나 더 늦지 않음을 다행으로 생각하며 하던 일을 중단했다.

며칠 뒤, 친구에게서 연락이 왔다. 일을 계획대로 추진하기로 했다며 다시 도움을 요청했다. 한번 신뢰가 무너졌던 일이라 마음이 내키지 않았지만, 시간이 촉박하여 계획을 서둘러 추진해나갔다.

다음날 또다시 혼란이 왔다. 처음 계획을 수정해야 할 것 같다고 한다. 계획이 변경되면 처음부터 일을 다시 해야 한다. 거듭되는 혼란에 손을 놓고 있는데, 계획 변경이 끝났고 더는 문제 될 것이 없다는 연락이 왔다. 어차피 시작한 일이라 수정된 계획에 맞춰 바쁘게 주말을 보냈다.

월요일 아침, 의논할 일들이 많은데 연락이 닿지 않았다. 저녁 무렵 모든 계획을 취소했다는 전화가 왔다. 황당하기 짝이 없었다. 그동안 벌여놓은 일을 갑자기 수습하기가 무척이나 난감했다.

모든 문제를 감수하고 친구를 이해하기로 했다. 쉽게 도전할 수 있는 일이 아니기에 그러한 용기를 낸 것만으로도 친구가 대단하다고 생각했다. 시간이 흐른 뒤 한 가지 아쉬움이 남았다. 미안하다는 말 한마디가 듣고 싶었는데 끝내 그 말을 듣지 못했다.

지난날 우리 곁에는 "미안합니다." "고맙습니다." "사랑합니다"라는 말이 항상 가까이 있었다. "미, 고, 사" 운동으로 발전되어 전국으로 확산하기도 했다. 그랬던 말들이 어쩌다 이토록 듣기 힘들어졌는지 모를 일이다.

어렵던 시절을 지나 모두가 살 만해지니, 어지간한 일에는 고마움도 미안함도 느껴지지 않는 모양이다. 말 한마디로 천냥 빚도 갚는다고 했는데, 넘쳐날수록 좋은 말이 우리 곁에서 멀어져가고 있다.

날이 갈수록 언어의 교체 현상이 급격하게 일어나고 있다.

젊은이들 사이엔 출처를 알 수 없는 괴상한 신조어들이 유행병처럼 번지고 있다. 마음과 마음을 이어주는 아름다운 말들이 사라져가는 현실이 안타깝다.

다시 찾은 3번

　우리 집에서 내 서열은 오랫동안 3번이었다. 4남매 중 맏이라 부모님 다음 순번을 차지해 왔다. 특별한 임명장도 없고 공개석상에서 발표된 적도 없지만, 가족들 모두가 그렇게 인정해 주었다.

　부모님이 돌아가시자 본의 아니게 내 서열이 1번으로 올랐다. 다른 가족들도 빈자리만큼 순번이 앞으로 당겨졌다. 동생들이 결혼할 때마다 서열에 변동이 있었지만 내 위치는 언제나 그대로였다.

　근래에 와서 잘 지켜져 오던 순위에 문제가 생겼다. 뒤늦게 집단에 참여하여 서열 2번 자리까지 오른 사람이 질서를 어지럽히고 있다. 단기간에 순위가 오른 것도 본인의 능력보다 온전히 내 후광 덕분이었다.

서열 2번이면 일인지하 만인지상一人之下 萬人之上의 자리다. 그런데도 욕심이 지나쳐 자꾸만 1번 자리를 넘보고 있다. 사사건건 나의 결정에 시비를 걸거나 자기 생각을 관철하려고 든다. 그러다 뜻대로 되지 않으면 토라져서 집안 분위기를 엉망으로 만든다.

내가 서열 3번이었던 시절, 1번의 권력은 막강했다. 2번은 언제나 1번을 하늘처럼 받들었다. 1번은 집안의 모든 일에 최종결정권을 행사했고, 아무리 의견이 분분해도 그의 말 한마디면 끝이었다. 그가 지닌 경제권도 대단하여 봉급날만 되면 1번의 권위는 하늘을 찔렀다.

한때 가족이 많았을 땐 내 서열이 9번까지 내려간 적도 있었다. 세월 따라 하나둘 떠나가고 지금은 마지막 서열이 3번이다. 내가 1번이고 아내가 2번, 그리고 머털이가 3번이다. 머털이는 함께 사는 다섯 살 먹은 수캐로 사람 나이로 치면 마흔을 갓 넘긴 중년이다.

어렸을 적 대구의 어느 부잣집에 살다 우리 집으로 왔다. 주인에게 버림을 받고 동물병원으로 보내졌는데 병원장의 소개로 한 식구가 되었다. 참고로 서열 2번은 부산에서 왔다. 내가 서열 3번이었던 시절, 1번의 적극적인 추천으로 한 가족이 된 사람이다.

1970년대에 들어서자 산아제한과 더불어 남녀평등 바람이 불었다. 서열 2번들의 반란이 곳곳에서 시작되었고, 1번의 권위가 추락하기 시작했다. 권불십년權不十年이라더니 권력의 속성이 다 그런 모양이었다.

요즘 들어 2번이 자꾸만 위계질서를 어지럽히고 있다. 3번은 다소곳이 자신의 위치를 잘 지키는데 2번이 몹시 건들거린다. 특별하게 잘하는 것도 없으면서 불량하기 짝이 없다.

동물들의 세계에도 순위 다툼은 치열하다. 대부분 암놈을 차지하기 위한 수놈들끼리의 경쟁이다. 암놈은 새끼를 보호하는 경우를 제외하면 비교적 수놈에게 순종적이다. 암수가 대등하게 맞서는 곳은 인간 세상뿐인 것 같다.

퇴직하고 집에 있어 보니 2번의 위세가 대단하다. 어느 집이든 2번이 잘하면 가정이 행복하다. 가족들의 건강과 화목을 담당하는 막중한 자리가 2번인 까닭이다. 이대로는 아니라, 생각되어 1번의 권위로 한마디 했다. 아침 식사를 하면서 최대한 부드럽게 얘기를 꺼냈다.

친구네 집, 2번에 관한 얘기였다. 그 친구는 몸이 몹시 약한 편이다. 한때 B형 간염으로 위중한 상태에 빠졌는데 2번이 살리다시피 했다. 그를 아는 사람들은 부인을 잘 만나 죽을 사람이 살았다며 칭찬이 자자했다.

"친구네 집 2번은 1번을 위해 한겨울에 보리 순도 구해다 먹였다는데, 우리 집 2번은 냉장고에 있는 것도 챙길 줄 모른다"라고 했더니 벌컥 화를 내며 1번 짓이나 제대로 하라고 받아친다.

배알이 틀려 1번 노릇을 더 하고 싶지가 않았다. 한참을 생각하다 결단을 내렸다. 당신이 1번을 하라고 했다. 처음엔 들은 척도 않던 사람이 조건을 듣고는 바짝 다가앉는다. 2번은 무조건 1번의 말에 복종한다는 전제였다.

지금처럼 2번이 1번에게 말대꾸를 하거나 불순종하면, 어떤 처벌을 내려도 이의가 없다는 각서를 쓰고 아내가 1번을 맡기로 했다. 실권도 없이 힘든 일이나 감당하던 자리에서 물러났다. 이름뿐인 경제권도 순순히 넘겨주었다. 홀가분하기 짝이 없었다.

진정으로 2번이 1번을 이기는 길은 지혜로움이다. 힘이나 성질로는 결코 1번을 따라잡을 수가 없다. 꼬리뼈만 잘 흔들어도 열두 가지 변신을 할 수 있는데, 왜 그토록 힘든 길을 택하는지 모르겠다. 기막힌 재주를 묵혀두지 말고 부드러움으로 강함을 이길 일이다.

퇴직할 무렵에야 깨달은 것이 있다. 자신의 분수에 맞는 자리에서 한눈팔지 않고 사는 것이 현명한 삶이란 것이다. 능력에 넘치는 자리는 항상 뒤끝이 좋지 않았다.

모두가 볼 수 있도록 벽에다 커다랗게 써 붙이기로 했다. 마음을 가다듬고 붓을 잡았다. 거실 벽 한가운데 새로 쓴 서열 판이 내 걸렸다. 1번으로서의 마지막 권한 행사였다.

이제 머털이가 2번이고 내가 3번이다. 나는 직속상관인 머털이만 잘 모시면 된다. 뒤늦게 상황 파악을 한 1번이 내 서열을 올려도 나는 사양할 것이다. 예나 지금이나 내 서열은 3번이 제격인 것 같다.

PART 6

빈자리

PART 6

빈자리

유통流通 기한期限

아침상을 물리는 아내의 무릎에서 "우두둑" 하는 소리가
난다. 갑작스러운 충격에 냅다 비명을 질러댄다. 곁에서 지켜
보다 아직 유통기한도 남은 사람이 무슨 짓이냐고 했더니,
털썩 주저앉으며 웃음을 터트린다. 그러면서 자신의 유통기
한이 언제까지냐고 묻는다.

며칠 전에도 TV를 보며 유통기한 문제로 대화를 나눈 적
이 있다. 출고된 식품에 미래의 날짜가 생산일로 표기된 사
건 때문이었다. 제조회사에서 유통기한을 늘리려는 의도가
뻔히 보이는데도, 발송 기간을 고려하여 그렇게 했다는 말
같잖은 변명을 하고 있었다.

식품회사들의 비양심적 행태가 자주 도마 위에 오르고 있

다. TV를 지켜보던 아내가 다시는 그 회사 제품을 사지 않겠다며 분통을 터트린다. 무엇보다 식품을 대상으로 그런 짓을 해서는 안 될 일이다. 대중을 상대로 간접 폭행을 하는 것이나 다름이 없다.

나는 유통기한이 지났지만, 당신은 아직도 4년이나 남았다고 했더니 은근히 좋아하는 눈치다. 사람마다 형편은 다르겠으나 노인복지법에 따라 국가로부터 각종 혜택을 받는 만 65세를 기준으로 했을 경우다. 공무원의 정년도 가장 긴 것이 만 65세까지다. 앞으로 어떻게 바뀔지는 모르나 지금은 국가에서 인정하는 유통기한이 만 65세인 셈이다.

유통기한이 지나면 호칭부터가 달라진다. 아저씨나 아주머니가 슬그머니 할아버지나 할머니로 바뀐다. 나를 가장 먼저 할아버지라고 불러준 것은 동네 꼬마들이었다. 유통기한이 지난 사실을 그들이 가장 먼저 눈치챘다.

처음 할아버지란 소리를 들었을 땐 몹시도 당황스러웠다. 하루아침에 내가 할아버지가 되다니 상상도 못 한 일이었다. 매일 아침 습관처럼 거울을 보지만, 내가 늙었다는 사실을 모르고 있었다. 굳이 인정하고 싶지 않은 일이라 짐짓 모른 체하며 살아왔는지도 모른다.

그날도 집 근처 공원으로 가려고 집을 나섰을 때의 일이다. 베이지색 운동복에 챙이 긴 모자를 쓰고 제법 젊은이 흉내를 내었다. 나이 든 사람이 존경받는 시대라면 긴 수염에 장죽으로 멋을 냈을 일이나 세월이 그렇지 않음을 누구나 알고 있다.

집 근처 골목을 벗어날 즈음, 문방구 집 손자 녀석이 "할아버지 안녕하세요" 하며 충격적인 인사를 했다. 놀이에 빠진 아이들이 사람을 잘못 보았거니 하며 눈을 부릅뜨고 내려다봤더니, 함께 있던 초롱초롱한 눈망울들이 일제히 올려다본다. 도저히 그들이 잘못 본 것이라고 발뺌할 수가 없었다.

나도 할아버지란 소리가 듣고 싶을 때가 있었다. 귀여운 손주들을 데리고 공원을 산책하는 친구를 볼 때다. 하루빨리 할아버지라 불러주는 손주들을 두고 싶었다. 손주가 할아버지라 부르는 소리야 억울할 까닭이 없다. 동네 아이들이 부르는 것과는 느낌부터가 다를 것이다.

불황으로 실직자가 늘어난 탓인지, 유통기한을 늦춰보려는 몸부림인지는 모르나 공원을 찾는 사람들이 갈수록 늘어나고 있다. 계층도 다양해져 남녀노소가 함께 어우러진다. 사람들이 몰리는 시간대엔 조깅 코스를 따라 긴 행렬이 꼬리를 물기도 한다.

오늘도 공원 속 숲길을 걷고 있다. 유통기한은 지났지만, 이대로 좌절할 수만은 없는 탓이다. 누구든 활동할 수만 있다면, 나이와 상관없이 계속 일을 할 수 있는 세월이다. 연륜이 쌓일수록 사람들의 지혜나 지식은 풍부해지기 마련이다. 아프리카 속담에 노인 한 사람이 죽으면 도서관 하나가 불탄 것과 같다는 말도 있다.

아직은 몇 바퀴를 더 돌아야 오늘의 목표가 채워진다. 한정된 시간이라 운동의 효과를 최대한 올리려고 노력해 본다. 팔을 좌우로 흔들기도 하고 무릎을 높이 들어보기도 한다. 철봉에 매달려도 보고 빠른 걸음으로 앞사람을 따라잡아도 본다.

저만치 어린아이의 손을 잡고 앞서가는 젊은 여인네가 보인다. 가까이 갈수록 그녀의 늘씬한 몸매에 눈길이 간다. 좃값일까? 곁을 지나는 순간, 여인이 나를 가리키며 "할아버지가, 이놈" 하니 투정을 부리지 말라며 아이에게 주의를 시키고 있다.

마음은 아직도 청보리밭에서 노니는데, 유통기한이 끝난 몸이 곳곳에서 문제를 일으키고 있다. 거울에 비친 모습을 자세히 보면 애써 외면했던 일들이 현실로 드러나고 있다. 오래된 식품에 곰팡이가 피어나듯 주름진 얼굴 곳곳에 저승꽃이 자리를 잡고 있다.

　동병상련同病相憐의 사람들이 부지런히 주위를 스치며 지나간다. 노년의 삶은 누구도 예측할 수가 없다. 황혼의 시계를 최대한 늦춰보는 수밖엔 다른 방법이 없다. 잘 보관한 식품이 오래가듯 관리하기에 따라 유통기한이 달라질 수도 있을 것이다. 한눈팔지 않고 부지런히 남은 코스를 돌아야겠다.

운동화 사연事緣

신발의 유행이 구두에서 운동화로 옮겨간 것 같다. 거리에 나가보면 남녀노소 할 것 없이 운동화를 신은 사람들이 부쩍 늘어났다. 무겁고 딱딱한 구두에서 벗어나 가볍게 걸어가는 모습이 보기에도 좋다. 그동안 체면을 중시했던 사람들의 생각이, 건강과 실리 쪽으로 돌아선 모양이다.

새로 산 운동화에 끈을 꿰고 있다. 짙은 남색 바탕이라 노란색 신발 끈이 유난히 돋보인다. 색상이 너무 강해 다소 민망스럽기도 하지만, 내 발에 맞는 운동화가 그것밖에 없었다. 지난날 같으면 신고 나설 엄두도 못 냈을 일이나, 지금은 사람들이 멋있다거나 세련됐다는 말도 곧잘 한다.

유행 탓인지 시장이나 백화점을 둘러봐도 점잖은 운동화

를 찾아볼 수가 없다. 경쟁이라도 하듯 화려한 색상과 독특한 디자인으로 사람들의 눈길을 끌고 있다. 유명 상표일수록 그 정도가 심하다.

나이가 들면 멀어지는 사람은 있어도 다가서는 사람은 귀해진다고 했다. 세대를 넘어 함께 어울리기 위해서는 변화에 적응할 수밖엔 없다. 부지런히 자신을 살피고 유행의 흐름도 놓치지 않아야 한다.

젊음은 그냥 두어도 아름답지만, 노년은 가꾸지 않으면 추해진다. 품위 있게 잘 다듬어진 노인을 예술 작품에 비유한 사람들도 있다. 청결하고 지성미를 갖춘 노인이 시대의 흐름을 따른다면 멋은 절로 풍길 것이다.

누구든 운동화의 매력에 빠지면 쉽게 벗어나기가 어렵다. 가볍고 탄력이 좋은 데다 골라 신는 재미도 있다. 무엇보다 발이 편하고 무릎에 주는 충격이 작아 가까이할 수밖에 없다.

의사들은 신발의 종류나 굽이 닳은 형태만 보고도 건강 상태를 짐작한다고 한다. 값싸고 건강에도 좋은 운동화를 마다할 이유가 없다. 아침마다 색상이 다른 운동화를 신고 나서면 기분도 새롭다.

다행히 요즘 값싼 수입 운동화가 넘쳐나고 있다. 고급 브랜

드와 모양과 색상은 비슷한데 한 켤레에 만 원이다. 지난날 비싸서 사지 못했던 한풀이를 하듯 한꺼번에 여러 켤레를 사다 놓고 번갈아 신고 있다.

운동화가 여러 켤레다 보니 조금만 낡아도 허드레 신발이 된다. 텃밭에서 일할 때는 헌 운동화가 제격이다. 밭이랑 사이를 걷기에도 좋고 흙이 묻어도 아깝지가 않다. 용도에 맞춰 운동화를 즐겨 신다 보니, 구두는 특별한 외출이 있을 때나 찾게 된다.

남달리 운동화를 자주 애용했던 탓일까? 덕분에 공짜로 점심을 먹었던 일도 있다. 오늘 아침, 그 문제의 운동화를 신고 텃밭으로 나가는데 자꾸만 식당 주인의 얼굴이 떠올랐다.

그날도 텃밭을 돌보고 있는데 친구에게서 전화가 왔다. 집 근처 식당인데 같이 점심을 먹자고 한다. 내 몫까지 주문했다며 빨리 오라고 성화였다. 소문난 집이라 복잡한 걸 알기에 서둘러 옷을 갈아입고 나갔다.

예상대로 식당은 초만원이었다. 신장은 물론 현관 바닥에도 손님들이 벗어놓은 신발로 가득했다. 겨우 비집고 앉아 점심을 먹고 나오는데 구두가 없어졌다. 자주 신지 않아서 새것이나 다름없는데 보이지 않았다.

종업원과 입씨름을 하고 있는데, 주인이 나오더니 무척이
나 미안해한다. 이웃에 살면서 평소 친분이 있었던 터라 피
차가 난감했다. 손님들이 가고 나면 혹시라도 나타날지 모르
니 기다려 보라고 했다.

　음식값은 받을 생각도 않았다. 신발이나 잘 찾아보라며 미
안해 어쩔 줄 몰라 했다. 표정이나 말투로 보아 변상까지도
염두에 두는 것 같았다.

　번잡한 시간이 지나고 손님들이 대부분 돌아갔지만, 구두
는 나타나지 않았다. 현관 바닥에 종업원들이 신는 슬리퍼
몇 짝이 남아있었다. 그때 낡은 운동화 한 켤레를 손에 든
종업원이, 큰 소리로 떠들고 있었다. 누군가 계획적으로 바
꿔 간 것 같다며 호들갑을 떨어댔다.

　무심코 운동화를 주시하는 순간, 정신이 번쩍 들었다. 조
금 전 내가 밖에서 신었던 그 운동화였다. 모른 척 운동화를
받아 들고는 아무 말도 하지 않았다. 어쩔 수 없이 남아있는
신발을 신고 나오듯 그 자리를 벗어났다.

　요즘 들어 건망증이 사람을 당황스럽게 하고 있다. 흙먼지
를 뒤집어쓴 낡은 운동화를 보니 마치 나를 보는 것 같다.
훗날 친구에게는 그 사실을 털어놓았지만, 식당 주인에게는
말할 기회를 놓쳐버렸다. 만날 때마다 미안해하는 그분께 죄

송하기 짝이 없다.

　그날, 신장 위에 붙어있던 "신발 분실은 책임지지 않습니다"라는 커다란 글귀를 나는 아직도 마음의 위안으로 삼고 있다.

종鐘소리

국립경주박물관 정문으로 들어서면, 광장 맞은편에 달린 거대한 종과 마주하게 된다. 신라 35대 경덕왕과 그 아들 36대 혜공왕 양대에 걸쳐 완성된 성덕대왕신종聖德大王神鐘으로 국보 제29호로 지정된 종이다.

구리가 12만 근이나 들어간 현존하는 국내 최대의 종으로 웅장하면서도 아름답다. 종신 위아래로 당초唐草 문양이 새겨진 넓은 띠를 둘렀고, 중앙에 마주 보는 비천상飛天像과 연꽃 모양의 당좌撞座가 정교하게 돋을새김 되어있다. 특히 소리의 맥놀이 작용이 뛰어나 여운이 길고 음의 변화가 무상한 것이 특징이다.

종소리는 듣기에 따라 다양한 소리로 들리는데, 종의 명칭이 '에밀레종'으로 알려진 것도 그러한 까닭에서다. 종을 만들 때 제물로 바쳤던 아이가 어미를 찾아 우는 소리처럼 "에밀레 ~ 에밀레" 하는 소리로 들리기 때문이다.

지난해 어느 단체에서 성덕대왕신종 모형의 공로패를 받은 적이 있다. 청동으로 만든 것인데 어찌나 소리가 청아한지 진짜 종 못지않았다. 정신이 산만하거나 기분이 우울할 때 두들겨보면 마치 산사의 풍경風磬 소리를 듣는 것 같다. 여운이 끊어질 때쯤 이어 치기를 반복하면, 금세 집안이 아름다운 종소리로 가득 찬다.

나이 탓인지 갈수록 작은 움직임조차 귀찮아진다. 특별히 체중이 불어난 것도 아닌데 행동이 둔하고 의욕도 전 같지가 않다. 그러다 보니 스스로 할 수 있는 일도 다른 사람을 부르게 되고 자연히 아이들과 아내가 분주하다.

서재에서 일에 몰두하다 보면 이것저것 아쉬운 일들이 생긴다. 그때마다 부엌이나 안방에 있는 아내를 부르는 일이 번거롭고 미안할 때가 많다. 특별히 잘해주는 것도 없으면서 자주 귀찮게 하는 것 같아서다.

어느 날, 갈증이 심해 여러 번 아내를 불렀는데 대답이 없었다. 은근히 짜증이 치밀어 곁에 있던 찻숟갈로 종을 연거푸 두들겼더니, 욕실에서 빨래하던 아내가 고무장갑을 낀 채 달려왔다.

내가 부르는 소리는 듣지 못했는데, 종소리가 어찌나 큰지 놀라서 뛰어왔다는 것이다. 그것참 신통한 일이라 생각되어 앞으로 종소리가 세 번 울리면 내가 부르는 신호라는 약속을 해두었다. 그 후 필요시마다 요긴하게 이용해왔다.

종소리는 오래전부터 우리네 삶 깊숙이 들어와 있었다. 이른 새벽 교회나 성당에서 울리는 소리를 시작으로 온종일 종소리가 끊이질 않았다. 주부들이 아침 준비를 할 무렵이면 두부 장수 종소리가 들려오고, 아이들이 등교할 시간이면 학교 종이 울려 퍼졌다.

잠시 주변이 조용하다 싶으면 구청의 청소부들이 작은 종을 흔들며 골목을 누볐다. 그 당시 종소리는 사람을 모으거나 시간을 알릴 때 사용되는 편리한 수단이었다. 모두가 맑고 아름다운 소리로 시끄럽다는 생각이 들지 않았다.

어느 날부터인가 확성기 소리가 그 자리를 밀치고 들어왔다. 직접 마이크를 들고 말하는 것은 그래도 나은 편이다. 아예 마구잡이로 녹음한 소리를 반복해서 틀고 다니며 소음騷音에 시달리게 한다.

동네 어귀에 과일이나 채소를 실은 트럭이 자리를 잡으면 한동안 일손을 놓아야 한다. 껄끄럽고 찢어진 목소리에 각지방 사투리가 여과 없이 쏟아져 나와 일에 집중할 수가 없다. 문명의 이기가 편리한 것은 좋으나 가끔 엉뚱한 곳에 대가를 요구하는 것 같다.

외환위기로 경제가 어려워지자 실직하는 사람들이 많아졌다. 일손이 줄어드니 갈수록 맡은 업무가 힘겨워진다. 요즈음 하는 일이 힘에 부치는지 저녁 식사 후 TV 앞에 앉으면 졸음이 쏟아져 내린다.

사랑이란 언제나 같이 있고 싶은 것이라고 했다. 부부가 함께 있어 나쁠 건 없지만, 나이 탓인지 아내도 필요할 땐 곁에 있으면 좋고, 평소엔 떨어져 지내는 것이 편하다고 생각한다. 서로가 독립된 공간에서 자신의 취향대로 살아가는 것이 좋을 것 같아서다.

며칠 전, 밤늦게 원고수정을 하고 있는데, 갑자기 아내가 문을 벌컥 열고 들어왔다. 보통 때 같으면 코를 골며 잠들었을 아내가 "종 쳤어 예" 하고 말한다. 깜짝 놀라 한밤중에 종 같은 소리를 한다며 핀잔을 주었더니 홱 하고 돌아서 나간다. 순간 짙은 화장품 냄새가 풍겨왔다.

그러고 보니 내가 너무 오랫동안 아내에게 무관심했다는 생각이 들었다. 한참을 망설이다 조심스레 종을 세 번 두들겼다. 때아닌 시간에 맑고 고운 종소리가 집안에 울려 퍼졌다.

유모차 부대

계속되는 시위로 사회가 무척이나 혼란스럽다.

TV를 켜자 한 무리의 주부들이 어린아이를 태운 유모차를 앞세워 경찰 기동대와 대치하고 있다. 간간이 구호 소리가 터져 나오고 주변이 온통 시위용품과 쓰레기로 난장판이다. 영문을 모르는 아이들은 유모차에 앉은 채 불안에 떨고 있다.

잠시 소강상태를 보이던 현장에서 미국산 쇠고기 수입을 반대한다는 구호 소리가 터져 나오고, 또다시 밀고 밀리는 몸싸움이 시작된다. 위협을 느낀 아이들이 울음을 터트리자 주부들의 절규가 따라서 거세진다. 당황한 경찰이 물러서자 기세가 오른 군중들의 함성이 터져 나온다.

새로운 정부가 들어섰지만, 숨 돌릴 틈도 없이 몰아세우고 있다. 공직자의 자질 문제로 여러 날을 허비하더니, 소고기 수입 문제로 시위가 꼬리를 물고 있다. 모두가 한마음으로 국익에 대처해도 모자랄 판인데, 나라가 자중지란에 빠져들었다. 잘잘못을 떠나 이래서는 안 된다는 생각이 든다.

근래에 시위가 잦아들어 정국政局이 안정되나 했는데, 시위 현장에 나왔던 주부들을 사법기관에서 조사하고 있다는 보도가 나왔다. 그들의 행동이 누군가에 의해 사주 되었거나, 계획된 행동으로 보였기 때문이라고 한다.

광우병과 관련된 수입 쇠고기로부터 아이들의 건강을 지키려고 나왔다는 항변에 잘못은 없어 보인다. 그러나 위험한 장소에 어린아이를 앞세운 사실은 어떤 말로도 설득력이 없다. 모성애와는 거리가 먼 궁색한 변명으로 들린다. 자식의 안전을 위해서라면 어떤 희생도 감수하는 것이 부모의 참마음이다.

한동안 시위가 뜸해지자 거리에 또 다른 유모차 부대가 나타났다. 유모차를 밀고 다니며 폐지나 고철을 수집하는 할머니들이다. 미국발 금융위기가 전 세계로 파급되자 투자처를 잃은 자금이 원자재 시장으로 몰려들었다. 그 여파로 재활용 자원의 가격이 급등하자 때맞춰 나타난 현상이다.

유모차에 실을 수 있는 폐지나 고철古鐵 조각이 장정壯丁의 팔로 한 아름도 되지 않지만, 열심히 거리를 누비고 다닌다. 유모차에 가득 싣고 가면 종류에 따라 다르나 육 칠백원정도 받는다고 한다. 온종일 다녀야 겨우 이삼천 원 벌 수 있는 일에 할머니들이 팔을 걷고 나섰다.

그들에게 진보나 보수는 아무런 관심이 없다. 수입 쇠고기나 쌀 직불금도 거리가 먼 얘기일 뿐이다. 주가가 곤두박질치든, 부동산 가격이 치솟든, 모두가 배부른 사람들의 소리로만 들릴 뿐이다. 버려진 고철 조각 하나보다도 못한 일로 사회가 혼란스러운 것이 못마땅할 따름이다.

요사이 자전거를 타고 유모차를 앞질러 다니며 폐지를 가로채는 얄미운 사람들이 생겨났다. 그들 중에는 부양해줄 자식도 있고 젊어서 돈도 많이 벌었다는 사람들도 있다. 그동안 모아둔 돈을 써야 할 때로 생각되는데, 운동 삼아 나왔다는 변명이 곱게 들리지 않는다.

숭어가 뛰면 망둥이도 뛴다더니, 재활용품 수거에 더 빠른 경쟁자가 나타났다. 사륜오토바이에 수레를 연결한 전문 수거 꾼이 등장한 것이다. 요란한 소리를 내며 시가지를 휩쓸고 다녀 사람들의 눈살을 찌푸리게 한다. 그들도 먹고살기 위해 나섰다고 하니 할 말은 없다.

시가지에서 밀려난 유모차들이 동네 골목길을 누비고 있다. 청소차가 오기 전 쓰레기봉투를 뒤적이며 재활용품을 수거해간다. 좋은 일자리만 찾아다니는 배부른 실업자들도 많은데, 일의 귀천을 따지지 않고 묵묵히 유모차를 밀고 가는 사람들이 존경스럽다. 고달픈 황혼의 삶을 스스로 꾸려나가는 할머니들의 뒷모습에 절로 머리가 숙여진다.

아저씨가 좋은데

"아버님, 녹차로 만든 화장품인데 구경 한번 하시지요."

건널목 앞에서 신호를 기다리고 있는데, 길에 좌판을 펴놓고 장사하는 여인이 나를 보고 하는 소리다. 이미 중년을 훌쩍 넘긴 나이로 보이는데 나를 보고 아버님이라 부른다. 언뜻 봐서 나와 크게 차이가 없어 보이는데 완전히 일방적인 호칭呼稱이다.

일부러 못 들은 척하며 길을 건너는데 자꾸만 손해 본 느낌이 든다. 지난달 모자 가게에 들렀을 때도 그랬다. 힘들게 모자 하나를 선택한 나에게 주인으로 보이는 여자가 "아버님 모자 보는 안목이 높으시네요" 했다. 그 소리에 어렵사리 골랐던 모자를 사지 않고 나와 버렸다.

키나 덩치로 보면 어머니뻘은 족히 되어 보이는데, 기왕이면 손님이나 아저씨로 불렀으면 좋았을 일이다. 아버님이란 호칭이 듣기 싫은 소리라는 뜻은 아니다. 언제 어떤 사람이 불러주는가에 따라, 기분이 엄청 다르게 느껴지기에 하는 말이다.

딸과 비슷한 또래의 젊은 여성이 아버님이라 불렀다면 기분이 나쁘진 않았을 것이다. 40대 중반을 넘어선 듯 보이는 아주머니가 그렇게 부르니 기가 찰 노릇이다. 그쪽 나이에 맞춰보면 최소한 내가 60대 후반은 되어야 맞다. 머잖아 환갑을 앞둔 나이지만, 내가 그 여인에게 할머니 모자값이 얼만데요? 하고 물었다면 어떤 반응이 나왔을지 궁금하다.

우리는 매일 수많은 사람과 만남을 이루면서 살아간다. 아침에 얼굴을 씻고 옷깃을 여미는 일도 만나게 될 사람에 대한 예의며 준비라는 생각이 든다. 가끔 쇼윈도에 비친 얼굴을 쳐다보지만, 그렇게 나이가 많아 보이지는 않는다. 이마와 눈 주변에 주름이 깊게 터를 잡긴 했지만, 아직은 괜찮아 보이는데 근래에 아버님이란 소리를 자주 듣고 있다.

음식점에 가면 손님들의 호칭에 유달리 민감하게 반응하

는 여자종업원이 있다. 나이가 들어 보일수록 "아가씨"라고 불러주면 잽싸게 달려와 친절을 베풀지만 "아줌마" 하고 부르면 근처에 오지도 않는다.

나는 종업원들에게 무조건 아가씨란 호칭을 사용하고 있다. 제법 나이가 들어 보여도 일부러 그렇게 불러준다. 아가씨란 말을 사전에서 찾아보면 처녀나 젊은 여자를 대접하여 부르는 말로 되어있다. 기왕이면 듣기 좋은 호칭으로 불러주자는 생각에서다.

아가씨와 대칭對稱되는 말이 있다면 "도련님" 정도로 생각되지만, 나에겐 언감생심焉敢生心이다. 남들이 뭐라고 부르든 흘러간 청춘이 다시 오지는 않겠지만, 아직은 아버님보다 아저씨란 호칭이 듣기에 덜 거북할 것 같다. 아주머니가 아저씨라고 불러주면 최소한 동급은 될 것이다.

가만두어도 세월 가는 것이 서러운데, 굳이 남의 아픈 곳을 긁어댈 필요는 없을 것이다. 요즘은 마케팅에도 고도의 심리학이 적용된다고 한다. 손님을 부르는 종업원들의 호칭도 가볍게 생각할 일이 아니다.

자신의 얼굴은 스스로 가꿔나갈 일이다. 세월의 흔적을 가리든, 지우든, 그 책임은 분명 나에게 있을 것이다. 유통기한이 지난 얼굴이라고 너무 오랫동안 무관심했던 것 같

다. 생각난 김에 영양 크림이라도 사서 바르고, 피부과에
가서 점이라도 몇 개 뽑아야겠다.

술래잡기

　요놈이 또 숨어 버렸다. 조금 전까지 곁에 있었는데 아무리 찾아도 없다. 잠시 자리를 비웠더니 그사이 숨어서 애를 태운다. 갈만한 곳이 빤하여 곧 찾기는 하겠지만, 가끔 주변을 완전히 뒤집어 놓고서야 모습을 드러낸다.

　무척 얄미운 놈이지만 쉽게 내칠 수가 없다. 놈은 나와 세상을 연결해주는 징검다리 역할을 하고 있다. 잠시만 곁에 없어도 답답하고 무료해진다. 외출에서 돌아오면 습관처럼 그를 찾아 곁에다 두고 있다.

　놈은 위장술에도 일가견이 있다. 주변의 지형지물地形地物을 이용하는 솜씨가 수준급이다. 지척에 있어도 찾지 못해 가족들의 도움을 받기도 한다. 내 약점을 정확히 아는지 유

독 내 눈에만 잘 보이지 않는다. 그러다 다른 사람이 찾아
나서면 예상외로 쉽게 붙잡혀 나온다.

언제나 내가 술래고 놈은 숨는 역할만 고집하고 있다. 변
함없는 규칙에 화가 치밀어 어느 날 특별한 대책을 세웠다.
아이들을 동원하여 놈을 붙잡아 다시는 달아날 수 없도록
꽁꽁 묶어 버렸다. 이제 놈은 무거운 침대를 끌고 가지 않는
한 내게서 벗어날 수가 없다. 유별나게 숨는 재주가 뛰어났
던 TV 리모컨, 이제 놈을 확실히 잡았다.

두 번째로 잘 숨는 놈이 핸드폰이다. 놈에겐 남다른 재주
가 있어 활동 범위가 넓다. 옆방이나 화장실은 물론 아래위
층을 마음대로 드나들며 숨는 재주를 뽐낸다. 집안 전체가
놈의 영역이라 숨었다 하면 쉽게 찾아내기가 어렵다. 그러나
놈에게도 치명적인 약점은 있다. 자신의 번호로 신호를 보내
면 꼼짝없이 모습을 드러낸다.

또 한 놈이 있는데 책이나 신문을 볼 때 찾게 되는 놈이
다. 비쩍 마른 몸매에 생김새부터가 유별나다. 가늘고 긴 다
리와 번들거리는 둥근 테두리 탓에 위장술僞裝術은 물론 숨
는 재주도 형편이 없다. 그래도 심심하면 나를 상대로 술래
잡기하려고 달려든다. 간혹 재주를 믿고 까불다가 엉덩이에
깔려 코뼈가 부러질 때도 있다.

생각해보면 세상살이 모두가 술래잡기 같다. 보호 본능 탓인지는 모르나 세상 만물은 모두가 숨어서 지내기를 좋아하는 것 같다. 당장 눈앞에 없어도 어딘가에 존재하고 있다. 그러다 꼭 필요한 사람이 술래가 되어 찾아 나서면 모습을 드러낸다.

지난 세월을 돌이켜보면 늘 무언가를 찾아 헤매다 여기까지 온 것 같다. 사람이든, 직장이든, 재물이든, 무엇하나 그냥 얻어지는 것이 없었다. 남들보다 먼저 찾아야 내 것이 될 수 있고, 찾아낸 것은 지켜내야만 했다.

학창 시절 소풍 가서 보물찾기했던 기억이 난다. 그때도 숨겨진 번호표를 찾아야 상품을 받을 수 있었다. 매일같이 술래가 되어 나서지만, 나는 아직도 찾는 일이 서툴기만 하다. 어쩌다 쉽게 찾아내는 것들도 있지만, 정작 중요한 것은 찾지 못하고 있다.

술래는 언제나 힘없고 부족한 자의 몫이었던 것 같다. 그래서인지 아직도 내 역할은 술래일 때가 많다. 힘들게 찾아다니기나 할 뿐 숨어서 즐기고 있을 처지가 아니다. 아침에 잠에서 깨어나면 오늘은 무엇을 찾아 어디로 가야 할지를 먼저 생각해야 한다.

세상에는 내가 갖지 못한 것들이 많이도 숨어 있다. 능력이 모자라 찾지 못하고 있을 뿐 없다고 불평할 일은 아니다. 예나 지금이나 사람들은 술래잡기 놀이에 빠져 사는 것 같다. 언제 어디서나 많이 찾아낸 사람이 누리고 사는 세상이다.

술래는 많은데 세상은 급변하고 있다. 평생을 채워도 부족한 것이 사람이라면, 누구든 삶이 끝나는 날까지 술래가 될 수밖에는 없다. "산다는 것은 더 나은 것을 찾아다니는 술래잡기 같다"라던 어느 시인의 말이 생각난다.

대상이 무엇이든 갈수록 찾는 일이 힘들어지고 있다. 내일이 염려되나 시간조차 부족하다. 내가 찾고자 하는 것이 나를 찾는 술래이길 바라지만 언감생심이다. 팔자려니 하면서 그냥 살아갈 수밖에는 없다.

지금, 이 글을 쓰는 순간에도 나는 술래가 되어 있다. 생각날 듯 생각나지 않는 글감을 찾아 헤매고 있다.

잃어버린 열쇠

외출에서 돌아와 대문 앞에 섰는데, 허리춤에 달아둔 열쇠 꾸러미가 없어졌다. 주머니를 샅샅이 뒤져봤지만 행방이 묘연하다. 둥근 고리와 긴 금속 줄까지 통째로 사라져버렸다.

초인종을 눌러봐도 아무런 반응이 없다. 먼저 집을 나서던 아내가 열쇠 잘 챙기라던 말이 귓전을 맴돈다. 오늘따라 대문이 더욱 육중해 보인다. 평소 뒷발질로 자신을 닫은 데 대한 앙갚음이라도 하는 모양새다.

문득 어머니 얼굴이 떠오른다. 안방에 누워서도 내가 도착한 것을 누구보다 먼저 아셨던 분이다. 몇 달 전만 해도 초인종을 누르기도 전에 대문이 열리기도 했는데, 오늘따라 그 빈자리가 더욱 크게 느껴진다.

나에게 있어 어머니는 만능열쇠 같은 존재였다. 아흔을 바라보는 나이에도 가족들의 기념일은 물론 친척들의 제삿날까지 모르는 게 없었다. 틈틈이 잊고 지내는 집안 대소사를 미리 귀띔해주시곤 했다.

담벼락에 기대 세운 자전거를 밟고 담을 넘었다. 손가락 하나 까딱했을 뿐인데 철커덕 소리와 함께 육중한 대문이 열린다. 역시 강한 놈과는 정면으로 맞설 일이 아닌 것 같다.

실내로 들어가려고 현관문 앞에 섰는데, 못생긴 열쇠 구멍 두 개가 실눈을 뜨고 노려본다. 단단하기는 대문에 비할 바 아니나 막아서는 의지가 대단하다. 조금도 빈틈이 보이지 않는다.

옆으로 돌아가 거실 쪽 창문을 흔들어 보았지만, 그 또한 쉬운 상대가 아니었다. 툭 치면 깨뜨러질 유리창이 목숨을 걸고 덤빈다. 햇살에 반사된 날카로운 이빨을 드러내며 눈조차 못 뜨게 한다.

가족들이 많을 땐 생각지도 못한 일이다. 핵가족의 바람을 타고 모두가 흩어지자 집을 비우는 경우가 생겨났다. 만능열쇠가 되어 곁을 지켜주시던 어머니마저 떠나자 집은 오로지 문들의 몫이 되었다.

우직하리만치 꼭 맞는 열쇠를 고집하는 그들이 아니면, 집은 무방비나 다름이 없다. 한동안 창문과 씨름을 했지만 들어갈 수가 없었다. 방충망은 쉽게 제거되는데, 짝을 지어 저항하는 창문은 방법이 없었다.

잠금 고리에 기름을 바르고 달래듯이 흔들어도 봤지만, 한 치의 물러섬도 없었다. 어떤 유혹도 통하지 않았다. 부당한 이득에 눈이 멀어 적당히 타협해 주는 사람들과는 비교가 되지 않았다.

수돗가에 앉아 잠시 생각을 가다듬었다. 이럴 땐 한발 물러서는 것이 상책이다. 아내를 기다릴 것인지, 다시 나갔다 올 것인지를 고민하기 시작했다. 그때 저만치 매화나무에 기대놓은 사다리가 보였다.

한 가지 방법이 머릿속을 스쳐 갔다. 주변을 둘러보니 3M쯤 높이에 안방과 연결된 욕실의 환기창이 보였다. 사다리를 딛고 올라가니 다행히 잠기지 않았다. 문단속에 철저한 아내도 별수 없다는 생각이 들었다.

안방 문이 뚫리자 모든 문이 일제히 저항을 포기했다. 집을 나설 때 벗어 두었던 바지가 거실 바닥에 널브러져 있고, 허리춤에서 금속 줄이 반짝이고 있었다. 잃어버린 열쇠 꾸러미가 그곳에 매달려 있었다.

　무엇을 잃어버린다는 것은 기약 없는 헤어짐과 같다. 쉽게 되찾을 때도 있지만, 영원한 이별을 할 수도 있는 일이다. 다행히 열쇠 꾸러미는 되찾았으나, 우리 집 만능열쇠는 다시 찾을 길이 없다. 지난가을 영안실에서 본 것을 마지막으로 영원히 내 곁에서 사라져버렸다.

명주明紬수건

잠결에 한기寒氣가 느껴져 일어나보니 아직도 한밤중이다. TV를 켜자 갈수록 일교차日較差가 커지니 건강에 유의하라는 보도가 흘러나온다. 전등을 켜고 열려있는 창문을 닫았다. 그사이 비가 내렸는지 베란다에 젖은 나뭇잎들이 흩어져 있다.

아무리 감각이 둔한 사람도 계절의 변화를 느낀다는 처서가 지났지만, 아직도 늦더위가 기승을 부리고 있다. 무더위에 창문을 열어둔 채 잠이 들었는데 비가 왔던 모양이다.

장롱 깊이 보관해 둔 명주 수건을 찾아내어 목에다 감았다. 명주 수건은 촉감이 부드럽고 매끄러워 피부에 닿으면 기분 좋은 느낌이 난다. 열전도율도 뛰어나 아무리 차가운

수건도 목에 두르는 순간 따뜻함이 느껴진다.

평소 목이 약한 편이라 환절기가 되면 자주 편도선이 붓고 감기 증상을 느낀다. 항상 목을 따뜻하게 하라는 의사의 충고를 들은 뒤, 조금만 한기가 느껴져도 목도리를 찾아 두르는 습관이 생겼다.

지난가을 목에다 두툼하게 면 수건을 감고 있는 나에게, 어머니께서 평소 아끼는 소품 상자를 열더니 명주 수건 하나를 꺼내 주셨다. 폭이 한자쯤 되고 길이는 여섯 자가 넘는 긴 수건이었다. 어찌나 얇고 부드럽던지 돌돌 말아서 손에 꼭 쥐니 한 줌밖에 되지 않았다.

열아홉에 시집와서 손수 누에를 치고 실을 뽑아 베틀에다 짠 것이라고 했다. 모든 것이 귀했던 시절이라 일상에서 쓰는 용품들을 대부분 자급자족하신 분이다. 명주 수건을 두르자 금방 목이 따뜻해져 왔다. 무척 만족해하는 나에게 옛날에는 "명주 고름만 달아도 삼 이웃이 따뜻하다"고 했다며 미소를 지으셨다.

베틀에 앉아 온종일 명주베를 짜면 여덟 자 정도를 짤 수 있고, 한 필을 짜는 데는 5일 정도 걸린다고 하셨다. 베를 짠 후 필을 채우고 남는 자투리 천으로 목도리를 만들어 가족들이 나누어 썼다고 했다.

목에 두른 명주 수건에서 어머니의 따뜻한 손길이 느껴진다. 약간 노르스름한 빛깔의 명주 수건은, 오랜 기간 사용해도 세탁하면 금방 새것처럼 광택이 난다. 더구나 집에서 짠 명주베는 빛이 바래거나 쉽게 좀이 슬지 않아 예부터 최고의 직물織物로 여겨왔다.

날씨가 추워지자 명주 수건을 두를 때마다 돌아가신 어머니가 생각난다. 평생을 희생과 봉사로만 살아오셨던 분이다. 여자가 아닌 어머니로 살아오셨기에 그 숱한 삶의 고비를 넘길 수 있었을 것이다. 비록 한 줌밖에 되지 않는 명주 수건이나, 천금을 줘도 다시 구할 수 없으니 내게는 보물 같은 수건이다.

빈자리

창을 넘어 들어온 햇살이 의자 위에 길게 누워있다. 매일 아침 환하게 웃는 얼굴로 반갑게 맞아주던 할머니가 보이지 않아, 기다리다 지친 모양이다. 오늘따라 그 빈자리가 더욱 크게 느껴진다. 주위가 온통 텅 빈 것 같다.

거실 창가에 세 사람이 넉넉히 앉을 수 있는 긴 의자 하나가 놓여있다. 곁에 모서리가 해어진 1인용 소파도 함께 있다. 소가죽을 덧씌운 회갈색으로 무척 편안한 안락의자다. 이승을 떠난 어머니께서 자신의 몸처럼 의지하고 지냈던 가구들이다.

소파 곁에는 작은 탁자와 이동식 변기도 놓여있었다. 손만 뻗으면 닿을 거리에 지팡이와 전화기도 준비되어 있었다. 탁자 위에는 물병과 약봉지가 상시로 놓여있었고 어쩌다 필요한 물품들까지 모두 갖춰져 있었다.

어둡고 적막한 밤이 얼마나 싫었으면 그랬을까? 매일 아침 어머니는 날이 밝기 무섭게 창가로 옮겨 달라고 하셨다. 소파에 앉아 손바닥만 한 거울로 머리를 빗고 얼굴을 단장한 후 아침을 맞으셨다. 정갈하게 다듬어진 하얀 모습으로 떠오르는 태양을 향해 밝게 웃으시던 모습이 눈에 선하다.

한번 소파로 옮겨 앉으면 혼자서는 거동할 수가 없어 온종일 그곳에서 지내셨다. 여름이 시작되자 몸에 욕창이 생겨 몹시도 힘들어하셨다. 이런저런 궁리 끝에 침상을 겸한 긴 의자를 생각해낸 것이다. 의자에 누웠다 두 발을 아래로 내리면 반쯤 일어난 상태가 되고, 지팡이를 짚으면 혼자서도 일어설 수가 있었다.

텅 빈 거실, 낡은 소파와 긴 의자, 모두가 제자리에 있는데 주인이 없다. 밤마다 자는 잠결에 떠날 수 있기를 기도하시더니, 어느 날 빈자리만 남겨두고 홀연히 떠나가 버렸다. 언제까지고 함께 있을 줄 알았는데 생명의 불꽃이 한순간에 꺼져버렸다.

든 자리는 몰라도 난 자리는 안다고 했던가? 빈자리는 반드시 채워지기 마련이라고 했다. 꽃을 꽂은 화병이든, 과일

이 담긴 접시든, 때로는 돌아가신 부모님의 사진이 빈자리를
채울 수도 있다. 그것이 무엇인가에 따라 빈자리는 새롭게
태어나는 것이다.

하지만, 그 모든 것이 대체할 것이 존재했을 때의 얘기다.
세상에는 무엇으로도 대신할 수 없는 자리가 있다. 자식들
을 위해 평생을 희생과 봉사로만 살아오신 어머니의 빈자리
다.

봄은 어느새 저만치 멀어져가지만, 바람 끝이 아직도 차
다. 냉기 품은 꽃샘바람이 거침없이 가슴속으로 파고든다.
아픈 몸을 이끌고 번번이 자식 앞을 막아서시던 어머니가 떠
나자 기회를 만난 것 같다.

마음이 기댈 곳은 든든한 기둥이 아니어도 좋았다. 살짝
만 건드려도 넘어질 것 같은 작은 막대기 끝에서도 마음은
위안을 얻을 수 있었다. 혼자서는 거동조차 할 수 없어도 함
께 있음만으로 크나큰 의지가 되었는데, 이제는 세상 바람
을 홀로 맞서야 한다.

기나긴 하루를 자식들의 무사 귀환만을 바라시던 어머니
셨다. 일을 마치고 돌아오면 안도의 웃음 띤 얼굴로 "야야,
이제 오나!" 하시며 반갑게 맞아주시던 모습이 눈에 선하다.
서툰 입담으로 바깥소식을 전해주면 언제나 귀 기울여 들으

시며 좋아하셨다.

　저녁밥을 드시면서도 벽에 걸린 시계만을 바라보셨다. 멀리 떨어져 사는 막내딸의 퇴근 전화를 받고서야 비로소 마음을 놓으셨다. 한량없는 그 은혜를 그때는 왜 몰랐을까? 환갑을 지난 자식도 언제나 염려의 대상인 것이 어머니의 마음이었다.

　어쩌다 옆으로 돌아누울 때면 어머니가 생각난다. 아픈 허리 때문에 한쪽으로만 누워 계셨던 어머니다. 그대로 뼈가 굳어 입관할 때 바로 눕지도 못했던 육신이다. 견디기 힘든 그 고통을 억지웃음 속에 감추며, 자식들이 알까 봐 노심초사하시던 어머니다.

　전신주에 꽂혀있는 정보지를 볼 때도 어머니가 생각난다. 아무리 많이 가져다드려도 한번 사용한 종이를 다시 쓰시곤 했다. 아끼는 습관이 몸에 배어 한평생 헌 옷을 고쳐 입고 양말을 기워 신으신 어머니다. 아흔을 바라보는 나이에도 혼자 바늘귀를 꿰었다며 큰소리로 자랑하셨던 어머니다.

　긴 세월을 함께했던 어머니가 떠나자 주위가 온통 빈자리다. 곳곳에 남아있는 흔적들을 볼 때면 좀 더 편히 모시지 못한 일이 후회된다. 태산 같은 잘못들 하나도 용서받지 못했는데, 이제는 더 잘할 수 있을 것 같은데, 모두가 사후약 방문死後藥方文이 되고 말았다.

　마지막 숨을 몰아쉬면서도 애써 무언가를 말하려고 하셨
다. 살아서는 알 수 없는 저승의 비밀이라도 전하려 했을까?
가쁜 숨소리에 막혀 들리진 않았지만, 그 또한 자식들을 염
려하는 말이었을 것이다. 이제 나는 엄마가 없다. 오늘의 내
가 어제와 다른 것은, 천애의 고아가 되었다는 사실이다.

　햇살이 머물다간 자리에 그림자가 길게 드리워져 있다. 덩
그러니 남아있는 가구들과 기억 속 언행들이 가슴을 아프
게 한다. 불현듯 여름휴가를 마치고 돌아간, 외손녀의 빈자
리가 모습을 드러내고 있다. "할아버지! 즐거웠어요, 우리
가을에 다시 만나요." 어느새 철이 든 외손녀의 작별 인사가
귓전을 맴돈다. 텅 빈 거실 빈자리마다 그리움이 출렁이고
있다.

PART 7

허수아비

PART 7

허수아비

백두산 가는 길

태어나서 처음으로 조상들의 숨결이 살아있는 만주滿洲 땅을 밟았다. 옛 선조들에 의해 수많은 나라가 세워지고 패망하면서 우리 민족의 고대사가 펼쳐졌던 곳이다. 거대한 중국과 맞서 민족의 기개세를 떨쳤던 땅이요, 항일 독립운동의 주된 활동 무대였던 곳이기도 하다.

망망대해 외딴섬을 연상케 하는 심양 공항을 벗어나 광활한 만주 벌판 속으로 차를 달려갔다. 보이는 건 아득한 지평선뿐 주변에 나무 한 그루 없었다. 긴 시간을 달려가 온몸이 뻐근해질 무렵 광야 속 작은 마을에 도착했다.

마을은 끝이 보이지 않는 옥수수와 해바라기밭으로 둘러싸여 있었다. 어디든 사람 사는 곳은 비슷하여, 멀리서 개

짖는 소리가 들려오고 널어놓은 빨래가 바람에 날리고 있었다. 옹기종기 모여 사는 집들은 1960년대 우리네 시골 마을을 연상케 했다.

잠깐의 휴식 시간을 가진 후, 버스는 랴오닝성을 향해 광야曠野 속을 달렸다. 중국에서의 첫 밤을 요양 시내에 있는 신세계 주점에서 묵었는데, 간판을 보고 규모가 큰 술집인 줄 알았다. 중국에서는 호텔을 주점이라고 했다.

이튿날, 백두산을 오르기 위해 연길시 중심가에 있는 대주 주점으로 이동했다. 연길은 중국 길림성에 속한 조선족 자치주의 중심도시다. 조선어 방송국과 신문사가 있고 거리의 간판이 한글 우선으로 되어있다. 소수민족의 자치주가 갖는 특권이라고 한다. 거리를 활보하는 사람들도 대부분 조선족으로 한국의 도시 하나를 옮겨놓은 느낌이 들었다.

연변 일대에는 약 85만의 조선족朝鮮族이 살았다고 한다. 한때는 조선족 비율이 62%를 넘어서기도 했는데 갈수록 줄고 있어 걱정이라고 했다. 조선족 비율이 30%를 유지해야 자치주로 인정을 받는데, 머잖아 해체될 위기라고 한다. 소리 없이 진행되는 동북공정의 그림자가 다가오는 것 같았다.

셋째 날, 백두산을 등정登頂하는 날이다. 서둘러 아침 식사를 마치고 일행들과 함께 버스에 올랐다. 연길에서 백두산까지는 전세 버스로 약 5시간쯤 걸린다고 한다. 북쪽이라 그런지 8월 중순의 연변은 우리네 초가을 날씨와 비슷했다. 들녘엔 어느새 코스모스가 피어서 바람에 흔들리고 있었다.

동승한 안내양은 조선족 이민 3세로 중국어와 우리말에 능통한 20대 초반의 아가씨였다. 그녀로부터 연변의 코스모스와 백두산의 미인송, 그리고 천지의 야생화가 이곳의 삼대 명물이란 이야기를 들었다. 조선족과 한족을 쉽게 구별하는 방법은 귀 뒤에 때가 있으면 한족漢族이라는 사실도 알았다.

백두산이 가까워지자 곳곳에 푸른 숲들이 보이기 시작했다. 광활한 만주벌에서 처음으로 보는 숲이다. 해발 1,000M까지는 경사가 완만한 현무암 지대로 키 작은 관목들이 주류를 이루고 있다. 낯선 고장이라 그런지 산기슭에 피어있는 낯익은 들국화가 무척이나 반가웠다.

길은 끝이 보이지 않는 숲속으로 빨려들 듯 이어졌다. 일제 강점기 백두산의 원목을 실어내기 위해 개설했던 도로를 최근에 관광객을 위해 새롭게 포장했다고 한다. 폭이 좁아 차량 두 대가 겨우 비껴갈 정도지만, 일직선으로 뻗은 도로에 소형버스들만 다녀 불편함은 없었다. 간간이 차창 밖으로 벌목작업을 하는 노동자들의 모습도 보였다.

해발 1,000M를 넘어서자 가문비나무, 자작나무, 사시나무

등이 빼곡히 들어찬 원시림이 나타났다. 길을 따라 수십 리쯤 안으로 들어가자 숲속에 널찍한 광장이 나타났다. 수많은 관광버스가 주차되어있고 사람들이 붐비고 있었다. 대부분 한국과 중국 사람들이었다.

장백산長白山이라 써놓은 거대한 입간판이 눈에 들어왔다. 한국의 백두산이 아니라 중국의 장백산이라고 무언중에 주장하는 듯했다. 산을 선전하는 대형 간판 앞에서 일단의 한국 사람들이 사진을 찍고 있었다. 민족의 영산에 세워진 낯선 간판을 보고도 무관심하기만 했다.

버스에서 내리자 군인들이 다가와 방문자들의 짐을 검색했다. 미처 정리하지 못한 여성들의 가방을 열었을 땐 인권침해라는 생각도 들었지만, 괜히 나섰다간 문제가 커질 것 같아 모두가 꾹 참고 있었다.

잠시 뒤, 안내양이 입장권을 받아와 그들이 제공하는 버스를 타고 산속으로 들어갔다. 원시림을 뚫고 하늘 높이 솟아오른 거대한 봉우리들이 하나둘 모습을 드러냈다. 천지를 둘러싸고 있는 외벽들이라고 했다. 길옆에는 폭포에서 쏟아져 내리는 물과 지하 용천수湧泉水가 합류하여 널찍한 계곡을 이루고 있었다. 물이 솟아오르는 곳마다 하얀 김이 피어올라 신비로움을 더했다.

자작나무 숲속으로 한참을 달려가자 산을 깎아 만든 널찍한 계단식 광장이 나타났다. 그곳에 크고 작은 수많은 숙박시설들이 운집해 있었다. 덩샤오핑이 다녀갔다는 호텔 마당에는 "장백산에 오르지 않으면 평생 유감遺憾이로다"라는 그의 친필 글씨가 바위에 새겨져 있었다.

일행들이 찾아간 곳은 계곡 옆에 있는 장백산 온천 관광 호텔로 점심상을 차려놓고 기다리고 있었다. 서둘러 식사를 마친 후 정상으로 가기 위해 다시 버스에 올랐다. 잠시 후 산 정상부로 사람들을 실어 나르는 중간 기착지에 도착했다.

그곳은 해발 2,000M쯤 되는 곳으로 숲이 끝나는 수목 한 계선 부근이었다. 일본에서 특별히 제작했다는 7인승 지프들이 줄지어 대기하고 있었다. 그곳에서 또 한 번의 요금을 지급한 뒤, 여러 대의 지프에 나누어 타고 산비탈을 지그재그로 돌아 정상으로 올라갔다.

수목 한계선을 넘어서면 여름 한 철 풀만 자라는 산악 툰드라 지역이다. 나무 한 그루 없는 광활한 초원지대로 산비탈 전체가 야생화들의 천국이었다. 이름 모를 들꽃들이 무리 지어 피어나 꽃바다를 이루고 있었다. 일제히 바람에 나부끼는 모습이 거대한 꽃물결 같았다.

산 정상부에 도착하자 먼저 온 지프들이 내려갈 손님을 기다리며 줄지어 대기하고 있었다. 가는 곳마다 중국인들의 놀라운 상술을 실감할 수 있었다. 이곳으로 오는 동안 몇 번의 요금을 지급했는지 짐작조차 되지 않았다. 일반 상인들도 덩달아 한몫하고 있었다. 가짜로 보이는 장뇌삼을 13만 원에 사라고 하더니, 내려올 땐 단돈 천 원이라고 외쳐댔다.

지프에서 내려 천지天池를 향해 걸음을 옮겼다. 화산재와 암석으로 이뤄진 산봉우리는 오랜 세월 비바람에 굳어져 바닥이 몹시 미끄러웠다. 조심조심 천지를 향해 걸음을 옮기는데 갑자기 먹구름이 몰려왔다. 순식간에 주위가 캄캄해지더니 장대비가 쏟아져 내렸다. 천둥소리와 함께 운무雲霧가 주변을 뒤덮어 지척을 분간할 수 없었다.

백두산은 높이에 따라 다양한 모습으로 일행을 맞이해주었다. 서둘러 준비해간 비옷을 꺼내 입고, 희뿌연 운무 속으로 앞사람을 따라 길을 더듬어 올라갔다. 산 정상부로 다가서자 천지天池를 둘러싼 봉우리들이 운무 속에서 모습을 드러냈다.

변화무쌍한 날씨 탓에 한두 번 와서는 천지를 보기가 어렵다고 한다. 모두가 조바심 속에 운무에 덮인 분화구를 내려다보고 있었다. 오랜 기다림 끝에 분화구 아래쪽에서 한 줄기 바람이 휘감아 돌더니, 천천히 운무가 걷히며 천지가 모습을 내보였다.

백두산의 불을 끄기 위해 천상天上의 물을 부어놓았다는 코발트 빛 호수가 눈 아래 펼쳐졌다. 일제히 "와" 하는 탄성이 쏟아졌다. 통일을 기원하는 노랫소리와 창조주 하나님을 찬양하는 소리가 한꺼번에 울려 퍼졌다. 가슴이 뭉클해지고 코끝이 찡해왔다.

잠시 후 기류가 변하는가 싶더니, 순식간에 천지天池가 운무雲霧 속으로 모습을 감춰버렸다. 또다시 먹구름이 몰려들고 빗방울이 떨어져 서둘러 정상을 벗어났다.

재회의 기약도 없이 타고 왔던 버스에 몸을 실었다. 살아서는 다시 오기 어려움을 알기에 가슴 가득 아쉬움이 밀려들었다. 달리는 차 창 밖으로 고개를 내어 돌아보니 멀리 산봉우리는 먹구름 속에 묻혀있고, 눈부신 햇살이 산허리를 환하게 비추고 있었다.

추억 속의 연인戀人

내게는 남몰래 숨겨둔 20대 후반의 젊고 아리따운 여인이 있다.

적당한 키에 알맞게 살이 오른 무척 매력적인 사람으로, 멀리서도 해맑은 눈웃음이 시선을 끄는 여인이다. 온화한 성품에 지혜로움까지 겸비하여 누가 봐도 흠잡을 데 없는 사람이다.

그녀는 살아 있으나 만날 수 없는 사람이다. 아무리 세월이 흘러도 한결같은 모습으로 내 기억 속에서만 존재하는 여인이다. 현존하는 그녀는 먼 이국땅에서 내가 알지 못하는 모습으로 살고 있다.

누군가를 잊지 않고 산다고 해도 부도덕한 일과는 아무런 상관이 없다. 지난 일에 집착하여 남에게 피해를 준다면, 그 처신이 잘못되었을 수 있다. 하지만 잊고 사는 중 무심코 떠올라 잠시 메마른 가슴을 적셔주고 가는 사람을 탓할 수가 없는 노릇이다.

세상사에 지친 마음이 쉴 곳을 찾다 보면 어쩌다 그녀가 생각날 때가 있다. 어디서든 회상에 잠기면 금방 환한 미소를 머금고 달려온다. 시간이 흘러 마음이 안정을 되찾으면 어느새 사라지고 없는 바람 같은 여인이다.

추억 속 사람을 잊고 말고는 내 의지로는 할 수 없는 일이다. 미래는 아직 도래到來하지 않았고, 현재는 순식간에 지나가니, 살아가는 일 모두가 과거와 연관될 수밖에는 없다. 지난날 서로에게 소중한 사람이었다 해도, 지금은 추억 속에서나 존재하는 사람일 뿐이다.

과거의 일을 들춰내어 부부간에 다투는 사람을 볼 때가 있다. 실존하지도 않는 사람을 두고 서로를 힘들게 하며 괴로워한다. 참된 사랑이라면 과거조차도 너그러이 포용할 수 있어야 할 것이다. 부질없는 다툼으로 가정의 평화를 깨트리기보다 서로를 이해하고 감싸 줄 일이다.

살다 보면 추억 속 사람이 생각날 때가 있다. 궁금하지만 찾지 않는 까닭은 사는 곳을 알 수 없어서가 아니요, 거리가 멀어서도 아니다. 현존하는 그녀를 만나는 순간, 추억 속의 사람과는 영원한 이별을 해야 하기 때문이다.

추억 속 여인을 잊지 못하고 가끔 그리움을 하소연하는 친구가 있었다. 어느 날, 남편과 사별하고 홀로된 그녀를 찾았다며 흥분을 감추지 못했다. 며칠 후 그녀를 만나 오랜 소원을 풀었을 친구가 무척 괴로워하는 것을 보았다. 긴 세월 가슴속에 품고 살았던 소중한 보물을 잃어버렸다며, 만남을 몹시 후회하고 있었다.

작은 그리움 하나쯤 가슴속에 품고 살면, 감성이 맑아지고 순해서 좋다. 그렇지만 요즘 들어 그러한 일도 부질없다는 생각이 든다. 가슴속 추억이 세월의 무상함과 어울려 자꾸만 서글픔을 느끼게 하는 탓이다.

먼 인생길 돌아 이제는 서로가 황혼의 길을 가고 있을 때다. 언제 떠날지도 모를 이승의 끝자락에서 그녀를 만나고 싶다. 지난날 갑작스러운 이별 앞에 미처 전하지 못한 작별의 인사를 나누며, 한때나마 곁에서 희망과 용기를 주었던 일에 감사하고 싶다. 가슴속 환상이 산산이 부서지는 아픔을 감수하며, 이제는 그만 추억 속의 연인을 떠나보내고 싶다.

청량산淸凉山 자유인自由人

　구속된 사람이 아니라면 모두가 자유인이라 하겠지만, 진정한 자유인을 찾아보기란 쉬운 일이 아니다. 내가 있든 없든 세상은 변함없이 돌아가는데, 언제나 자신을 과대평가하여 구속을 자초하며 사는 것 같다.

　오랜만에 문우들과 어울려 낙엽 쌓인 산길을 오른다. 반복되는 일상에 젖어 살다 보면 가끔 현실을 벗어나고 싶을 때가 있다. 하지만 주어진 형편을 헤아리다 보면 언제나 찾아온 기회를 놓치게 된다. 이번 산행은 처음부터 마음을 굳히고 기다렸던 외출이다.

　새벽 어둠을 가르며 가파른 산길을 오르고 있지만, 종잡을 수 없는 동료들의 재담으로 조금도 힘들지가 않다. 한 시간쯤 운무에 덮인 능선을 타고 오르자 조금씩 여명이 밝아 왔다. 건너편 절벽 바위틈에 까치발을 딛고선 소나무 한 그루가 모습을 보인다.

주변은 깎아지른 바위들이 병풍처럼 둘러서 있는데, 그 속에 수를 놓은 듯 선명한 자태를 뽐내고 있다. 뿌리내릴 한 줌 흙도 보이지 않으나 짙은 초록빛으로 살아있다. 끈질긴 생명력이요 불굴의 표상처럼 보인다.

산은 오르는 방향에 따라 늘 새로운 모습으로 다가선다. 풍광이 아름다워 소금강으로 불리는 청량산은 이름만큼이나 맑은 기운이 감도는 산이다. 멀리서 쳐다보면 연화봉 절벽 끝에 원효대사가 창건한 청량사와 퇴계 선생이 머물렀던 청량정사가 새 둥지처럼 앉아있다.

청량산에는 66개의 봉우리와 8개의 동굴, 그리고 4개의 우물이 있다. 이번 산행도 짧은 여정이라 모두를 둘러볼 수는 없지만, 운무에 쌓인 청량사 주변의 봉우리들을 오르기 위해 이른 새벽 민박집을 나섰다.

금탑봉 기슭에서 출발하여 가파른 산길을 올라 의상대사가 창건한 웅진전 앞에서 걸음을 멈췄다. 바위틈에서 떨어지는 석간수로 목을 축이며 멀리 산 아래를 내려다본다. 조금씩 걷히는 운무 사이로 겹겹이 펼쳐진 골짜기가 모습을 드러내고 있다. 지나온 산길이 줄을 그은 듯 선명하게 보인다.

신라 명필 김생이 10년간 수도했다는 김생 굴을 지나 청량사로 가는 길목에 '산꾼의 집'이 있었다. 움막처럼 지어놓은 그곳에서 홀로 자유인으로 살아가는 '초막' 선생을 만난 것은 특별한 인연이었다.

아침밥도 거른 채 산안개 피었다 걷히는 한나절을, 그분과의 대화 속에 빠져들었다. 나이 오십이 넘으면 떠날 준비를 하라고 한다. 나를 구속하는 모든 인연에서 벗어나 자신만을 위한 길을 가라고 했다. 늦어질수록 나를 위한 삶을 살아볼 시간이 줄어든다고 말했다.

새삼스레 자유란 단어를 떠올려 본다. 한때라도 자신을 위한 삶을 살아보지 못하고 끌려가듯 생을 마감한다면, 무척이나 아쉬움이 많을 것 같다. 하지만 모든 인연을 등지고 홀로 살아가는 것 또한 쉬운 일은 아니다. 고독과의 처절한 싸움을 이겨내야 하는 힘겨운 일이다.

내가 본 초막草幕 선생은 자유를 갈망하는 자애주의자自愛主義者로 보였다. 여러 곳에 사업체를 경영하여 재산도 많이 모았다는 선생은, 수년 전 모든 것을 버려두고 쌀 한 말 등에 지고 이곳으로 왔다고 한다. 지난 일을 얘기하면서도 좀 더 일찍 떠나오지 못한 것을 못내 아쉬워했다.

청량정사 옆에 마련된 움막에서 자신이 채취한 약초로 차를 끓이는 것이 하루의 시작이라고 한다. 찾아오는 등산객들에게 무료로 약차를 대접하며 그들과 대화를 나누는 것이 일상의 즐거움이라고 했다. 지나온 삶을 돌이켜봐도 지금처럼 행복한 때가 없었다며 만족해한다.

지난 세월 무엇이 그토록 그를 힘들게 했을까? 지금의 그는, 풀 한 포기 나무 한 그루, 산비탈에 기댄 바위까지도 가슴으로 느낄 수 있는 자유인으로 살고 있다고 한다. 느긋한 몸가짐과 정결하면서도 강렬한 눈빛 속에서 은연중에 수도자의 품격이 느껴졌다.

오랫동안 구속에 길들어진 탓에 별다른 불편함을 모르고 살아왔지만, 한 번쯤 자유인이 되어보고 싶다. 내가 아니면 안 된다는 생각에서 벗어나면 누구나 가능한 일이라고 한다. 나와 얽혀있는 모든 인연에서 벗어나 짧게라도 나만을 위한 삶을 살아봤으면 싶다.

미뤄두고 떠나온 일들이 지금도 마음을 무겁게 하는 것을 보면, 나는 분명 자유인이 아니다. 행동의 자유가 구속된 것은 아니지만, 마음은 온갖 염려 속에 갇혀 있다. 산에서 내려오는 동안 아무런 간섭도 받지 않고, 혼자 자유를 누리며 사는 행복이 어떤 느낌일지가 못내 궁금했다.

투루판 방문기

13억 인구를 자랑하는 중국은 약 56개의 다민족으로 구성되어 있다. 그들 중 92%가 한족이고 나머지 8%를 소수민족이 차지하고 있다고 한다.

소수민족 가운데 위구르족은 황량하고 척박한 곳에 터전을 잡아, 유목 생활을 하거나 과일 농사로 고달픈 삶을 살고 있다.

그들이 사막의 도시 오아시스의 주인공이었을 땐 동서양을 연결하는 중개무역으로 풍족한 생활을 누렸고, 그들만의 문화도 꽃피웠다. 그러나 지금은 자본과 힘을 앞세운 한족들에게 밀려나, 2천만이 넘는 사람들이 신장 웨이우얼 자치구에서 생활하고 있다.

위구르족의 중심도시 투루판은 실크로드를 따라 서역으로 가는 중간 기착지로, 톈산산맥 동쪽에 있는 사막 속 분지다. 동서로 120km 남북으로 60km나 되는 넓은 지역으로 전체의 80%가 해수면보다 낮아 아시아의 우물이라 불리기도 한다. 북서쪽은 우루무치, 남서쪽은 카슈가르, 남동쪽은 간쑤성과 연결되는 교통의 요지이기도 하다.

서안을 출발하여 투루판으로 가는 길은 기나긴 여정이었다. 지평선 넘어 까마득히 보이는 곳에는 해발 5,000M의 톈산산맥이 만년설에 덮여있었고, 그 아래로 사막화가 진행되고 있는 광활한 초원지대가 펼쳐져 있었다. 일행을 태운 버스는 나무 한 그루 없는 광야 속을 밤낮으로 달려, 불과 바람과 모래의 땅 깊숙이 들어갔다.

신라 스님 혜초의 왕오천축국전이 발견되었다는, 밍사산의 막고굴, 수천 년 동안 한 번도 마르지 않았다는 초승달 모양의 오아시스 월아천, 손오공의 활동무대로 알려진 화염산과 흙으로 쌓아 올린 고창 고성을 두루 거쳐 투루판으로 향했다. 가는 곳마다 중국이 소유한 천혜의 자연환경과 상상을 초월하는 문화유산들을 보며 감탄을 금할 수 없었다.

서역으로 갈수록 위구르족 사람들이 많이 보였다. 관광지에서 마주친 남자들은 대부분 검게 탄 얼굴을 하고, 번득이

는 눈매가 날카로웠다. 그들 중에는 여행자의 가방을 노리거
나 가짜상품으로 바가지를 씌우는 사람들도 있다며 조심하
라는 안내원의 당부가 있었다.

위구르족 남자들은 체격이나 얼굴 형태가 페르시아나 터
키계 사람들을 많이 닮았지만, 여인들은 이목구비가 뚜렷하
고 몸매가 늘씬한 사람들이 많았다. 안내원의 얘기로는 중
국의 소수민족 가운데 러시아계 다음으로 미녀들이 많은 민
족이라고 했다.

이슬람교도가 대부분인 위구르족 여성들은 결혼하기 전까
진 얼굴을 내놓고 다니지만, 결혼하면 자신의 얼굴을 남편
과 가족들만 볼 수 있게 한다고 한다. 차도르란 망토로 얼굴
을 가려 무척 신비롭게 보이는데, 위구르족 남성들에겐 다행
스러운 제도 같아 보였다.

그들의 신앙생활은 철저하여 돼지고기나 비늘이 없는 생
선은 먹지 않는다고 한다. 고기를 먹어도 반드시 종교의식을
거친 후 도살한 고기만 먹는다고 했다. 이슬람 달력으로 아
홉 번째 달을 라마단 기간으로 정해놓고, 낮 동안은 금식은
물론 음주, 흡연, 성행위 등을 철저히 금한다고 한다.

위구르족이 쓰고 있는 모자는 대부분 챙이 없었다. 땅에
엎드려 이마를 바닥에 닿게 절하는 자세 때문이라고 했다.

챙이 없는 대신 형형색색의 작은 구슬로 수를 놓아 무척이나 아름답게 보였다. 가녀린 몸매에 문양이 화려한 고유 의상을 차려입고, 다소곳한 모습으로 여행자를 맞아주어 이국의 정취를 흠뻑 느끼게 해주었다.

이민족이 위구르족 처녀를 아내로 맞이하기는 쉽지 않다고 한다. 결혼을 위해서는 반드시 그들의 교리를 따라야 하고, 어기면 즉시 이혼을 당한다고 했다. 엄격한 계율에 묶인 위구르족 여인들은 결국 그들 종족의 남성들과 결혼할 수밖에 없어 보였다.

투루판에서의 첫날은 시내 관광지와 야시장 위주로 둘러보았다. 이튿날, 일정에 따라 아침 일찍 위구르족 민가를 방문했다. 도시 주변에 마련된 민가들은 대부분 비슷한 형태로 지어져 있었고, 도로를 따라 양쪽으로 길게 늘어서 있었다. 특이한 것은 집마다 거대한 백양나무가 있고 나무가 지붕 전체를 덮고 있었다.

약속된 민가에 도착하자 대문 앞을 깨끗이 쓸고 물까지 촉촉하게 뿌려놓고 기다리고 있었다. 민속 의상을 차려입은 위구르족 처녀 두 명이 대문 기둥 양쪽에 나뉘어 서서 손님들을 맞이해주었다. 예쁘게 미소짓는 모습이 닮은 것으로 보아 자매인 듯 보였다.

집 안으로 들어서니 마당 곳곳에 포도나무가 있고, 그 넝쿨을 태양을 가리는 그늘막으로 이용하고 있었다. 투루판은 한낮 기온이 40도를 오르내리지만, 습기가 없어 그늘 속에만 들어가면 시원함을 느낀다고 했다.

포도 넝쿨 아래에 카펫을 깐 평상과 손 씻을 물까지 준비해 놓고 있었다. 손님들이 자리를 잡고 앉자 포도와 멜론, 수박이 가득 담긴 커다란 과일 접시가 줄지어 들어왔다. 모두가 달콤한 과일 맛에 빠져있는데 갑자기 집 안쪽에서 커다란 음악 소리가 울려 나왔다.

깜짝 놀라 고개를 돌려보니 조금 전 그 처녀들이 곱게 분장을 하고 마당으로 뛰쳐나오고 있었다. 음악 소리에 맞춰 그들 고유의 전통춤을 추면서 일행들의 주변을 맴돌았다. 마치 아라비안나이트에 나오는 무희舞姬들의 춤을 보는 것 같았다.

예기치 않은 공연이 다소 당황스러웠으나, 이내 매혹적인 춤사위에 빠져들며 리듬에 맞춰 손뼉을 쳐주었다. 살아남기 위한 애처로운 몸짓 같아 가슴이 찡했지만, 정성을 다해 손님을 맞이하는 그들의 배려가 인상적이었다. 한차례 공연이 끝나자 각종 건포도와 열대과일을 가져다 판매했다.

귀국길에 방문한 북경 시내에서 만난 위구르족 젊은이들

은, 행동이 개방적이고 활기가 넘쳤다. 낯선 여행자들이 가게 안으로 들어서자 일제히 일어나 자리를 내주며 친절을 베풀었다. 조금씩 자본주의를 터득해 가며 그들의 영역을 넓혀가는 것을 볼 때, 머잖아 오아시스의 주인공으로 다시 일어설 것이란 생각이 들었다.

적선 유감遺憾

오늘도 적선積善할 기회를 그냥 지나쳐왔다.

적선을 많이 해야 죽어서 좋은 곳으로 간다는데, 그 일이 생각보다 쉽지가 않다. 형편이 어려워서가 아니라 대부분 의지가 약했던 때문인 것 같다.

매일 오후 4시경이면 회사 일로 은행에 간다. 그때쯤이면 마감 시간이 다가오는 무렵이라 너나없이 행동이 빠르고 표정이 긴장되어 있다. 주변을 경계하는 눈빛들도 한층 강해져 있다.

주차할 곳을 찾느라 시간이 지체되어 서둘러 은행으로 가는 길이다. 도로 가운데 좁은 통로만 남겨놓고 노점상들이 줄지어 앉아 있다. 요즈음 길에 좌판을 펴고 장사하는 사람들이 부쩍 늘어난 것 같다. 지난여름만 해도 이렇게 많지는 않았는데 거리의 풍경이 바뀔 정도다.

시가지 중심으로 들어서면 매일 장날 같은 느낌이 난다. 장사꾼들도 다양하여 남녀노소 구분이 없다. 젊은 남자들과 가정주부로 보이는 사람들도 섞여 있다. 모두가 외환위기의 고통을 견디다 못해 거리로 나선 것 같다.

며칠 전부터 장사꾼들 사이에 앉아 있는 한 아주머니가 눈에 띄었다. 작은 보자기를 펴놓고, 그 위에 사과와 포도 몇 송이를 진열해 두고 있었다. 옆에 빈 바구니가 있는 것으로 보아 그것이 전부인 것 같았다. 모두 합해도 만 원어치도 되지 않아 보였다.

얼굴에 병색이 완연하고 온종일 굶었는지 핏기라고는 없어 보였다. 아무런 의욕도 없는 사람처럼 그냥 멍하니 앉아 있었다. 가족들의 한 끼 밥값이라도 벌려고 나왔다가 지쳐서 포기한 사람 같았다.

며칠째 같은 모습으로 앉아 있는 아주머니를 볼 때마다 불쌍하다는 생각이 들었지만, 급하게 지나치느라 도움 줄 생각을 못 했다. 그 자리를 벗어나기 바쁘게 잊어버리기 일쑤였다.

며칠째 그 아주머니가 보이지 않고서야 비로소 무심했던

나 자신이 후회되었다. 언제나 나눔에 인색하지 않겠다는 생각을 하면서도, 아무런 행동도 취하지 않은 자신에게 화가 났다.

천주교 청주교구에서 운영하는 꽃동네라는 마을이 있다. 그곳 사람들은 얻어먹을 힘만 있어도 하나님의 은혜에 감사한다고 한다. 하물며 남에게 베풀 수 있는 형편이 된다는 것은 엄청난 축복이 아닐 수 없다.

손발을 모두 잃은 사람에게 소원을 물었더니, 자신의 손으로 밥을 먹어보는 것이라고 했다. 우리는 남이 갖지 못해 소원하는 것을 무한히 낭비하며 살고 있다. 어려운 사람에게 가진 것을 나눠주는 마음들이 필요한 세월이다.

은행 일을 마치고 돌아오는 길에 살펴보니, 아직도 빈 바구니만 자리를 지키고 있었다. 몸이 아파 며칠 쉬는 것으로 생각되었지만, 어쩌면 세상을 떠났을지도 모른다는 불길한 예감이 들어 마음이 무거웠다.

스스로 어려움을 딛고 일어서려는 의지를 보였던 사람이다. 당연히 도움을 주었어야 옳았을 일인데, 그러지 못한 일이 자꾸만 마음에 걸렸다. 적선의 기회를 적당히 비껴가는 나 자신의 한계를 보는 것 같았다.

오늘도 그 앞을 지나며 혹시나 하여 살폈더니, 사람들 틈에 그 아주머니가 앉아 있었다. 무척이나 반갑고 다행스러운 마음이 들었다. 오늘은 가진 물건을 몽땅 사줄 요량으로 좌판을 보니 아무것도 놓인 게 없었다. 그냥 자리만 지키고 있었다.

다가서면서 "아주머니 어디 아프셨나요, 며칠째 보이지 않았는데?" 하고 말을 건넸더니 의아한 눈으로 쳐다보며 아무런 대꾸가 없었다. "집에 가실 때 라면이라도 사가세요" 하며 만 원권 한 장을 내밀었더니, 놀란 눈으로 쳐다보며 선뜻 두 손으로 받아든다.

인사라도 하려는지 힘들게 일어서려는 것 같아 얼른 그 자리를 떠나왔다. 오래된 숙제를 해결한 것 같아 마음이 홀가분했다. 일을 마치고 돌아오는 길에 멀찍이서 찾아보니 그 아주머니가 보이지 않았다. 하나둘 좌판이 걷히고 사람들이 귀가를 서두르고 있었다.

저녁 식사 후, 이 층 베란다 끝에 서서 반짝이는 시가지 불빛을 내려다본다. 지나간 오늘 하루의 일들이 주마등처럼 뇌리를 스친다. 자꾸만 아주머니에게 준, 만 원권 한 장이 후회되었다. 조금 더 베풀 수가 있었는데, 어렵게 찾아온 기회 앞에 내 적선이 너무도 미약微弱했던 탓이다.

고장 난 선풍기

집에 낡은 선풍기가 한 대 있다. 투박한 모양이 누가 봐도 오래된 구형이다. 찾는 사람이 없어 혼자서 사용하고 있는데, 고개는 왼쪽으로 삐딱하게 기울고 날개도 상처투성이다. 모가지는 힘을 줘야 빠져나오고, 좌우로 회전할 땐 "뚝, 깍, 딱" 거리는 소리를 내며 심기를 건드린다. 그래도 힘은 좋아 한번 시동이 걸리면 온몸을 떨면서 돌아간다.

선풍기를 켜다 보면 이따금 연상되는 사람이 있다. 성품 하나는 틀림없다고 하여 한솥밥을 먹게 된 사람이다. 때마침 집안에 큰일이 있어 결혼을 서두르고 있을 때였다. 날렵하진 않아도 심성心性을 중시하여 선택했던 사람이다.

오래지 않아 숨겨둔 성격이 드러났다. 부녀자의 오랜 전통을 무시하고 제 고집대로만 돌아가려고 했다. 사사건건 고개를 쳐들고 맞바람을 불어댄다. 요즈음 무더위 탓인지 상태가 더욱 좋지 않다. 미풍은 작동조차 되지 않고 언제나 후끈거리는 강풍이다.

나긋나긋 알아서 잘 돌아가는 선풍기를 보면 부럽기 짝이 없다. 아무래도 잘못된 선택인 것 같다. 하지만, 세상 인연 가운데 제대로 된 만남이 몇이나 될까? 맞지 않는 것조차도 인연으로 볼 수밖엔 없는 것 같다.

제 앞가림도 못 하지만, 가끔 고장 난 선풍기로 고민하는 친구들의 하소연을 들어줄 때가 있다. 내가 대처하는 방법이나 주워들은 비법을 전해주면 연신 고개를 끄덕이며 솔깃해 한다. 다음날 비방의 효력에 얽힌 무용담을 들으며 크게 대접받을 때도 있지만, 대부분 상처투성이가 된 친구를 위로하며 내가 술값을 치렀던 것 같다.

선풍기가 제멋대로 돌아갈 때는 멀찍이 피하는 것이 상책이다. 공연히 맞바람을 쳤다간 뒷수습만 복잡해진다. 산행으로 흠뻑 땀을 흘리고 오던지, 아니면 냉방이 잘된 찻집에서 더위를 피하는 것도 좋은 방법이다.

세월 탓인지 집집이 실추失墜된 가장들의 권위가 말이 아니다. 오늘은 점심을 먹다 말고 시동이 걸렸다. 무심코 던진 말 한마디에 날개가 돌아갔다. 무더위 탓인지 쌓인 불만 때문인지 대수롭지 않은 말인데 시동이 걸렸다.

평소와 달리 바람이 심상치가 않았다. 아무래도 누군가 미리 예열을 시켜둔 것 같았다. 맞바람을 피해 대문을 나서는데 삭이지 못한 응어리가 가슴을 짓누른다. 생각할수록 화가치민다. 한 세대 전만 해도 꿈도 꾸지 못했던 일이 아닌가?

제조 과정에서 결함이 있었는지 취급자 잘못인지는 모르나, 개선의 실마리가 전혀 보이지 않는다. 심리학을 전공한 친구는 스스로 고쳐야 하는 병으로 약도 없다고 했다. 사용자가 잘 다뤄야 하는데 내 성격을 보면 그것도 힘들 것이라 한다. 할 말은 아니나 그 집 사정도 우리 집 못지않다.

늦은 산행을 나섰지만, 무더위의 기세가 대단하다. 숨을 쉴 때마다 후덥지근한 바람이 얼굴을 덮쳐온다. 고장 난 선풍기에서 내뿜던 바람과 흡사하다. 오염된 감정을 떨쳐내려고 부지런히 걸음을 재촉해 본다.

산모롱이를 돌아가면 계곡으로 내려가는 오솔길이 숨어있다. 낮은 잡목들에 가려있어 지나치기 쉬우나 길을 따라가면 맑은 계곡이 나온다. 젖은 옷을 벗어놓고 물속에 발을 담그면, 우울했던 기분도 더위에 지친 피로도 한순간에 날아가 버린다.

그늘 좋은 너럭바위에 팔을 베고 누워보면 지상낙원이 따로 없다. 마음은 순식간에 평정을 되찾고 모든 것을 용서하게 된다. 홀가분해진 기분으로 집으로 돌아오면 전쟁도 평화도 아닌 날들이 새롭게 시작된다.

석양을 등지고 집 근처 골목길로 들어서는데, 저만치 그 사람이 걸어오고 있다. 늦도록 들어오지 않아 걱정되어 찾아 나섰다고 한다. 생각지도 않았던 마중이 몹시도 당황스러웠다. 몹쓸 더위를 먹었을까? 진짜 고장이 난 것일까? 갑자기 안 하던 행동을 하고 있다.

지난봄 운동화를 깨끗이 빨아 놓아 사람을 혼란스럽게 하더니, 이번이 두 번째인 것 같다. 자신이 생각해도 시동을 잘못 걸었다며 한풀 접기까지 한다. 인지상정人之常情일까? 갑자기 사용자의 부주의가 크게 느껴진다.

잘못을 저지른 아이처럼 앞장선 그를 따라가고 있다. 뒤에서 본 무너진 몸매가 안쓰럽다. 내려앉은 엉덩이와 왼쪽으로 기운 목덜미에 연민憐憫이 느껴진다. 피차 만족할 수는 없었지만, 숱한 여름을 함께 지냈던 사람이다.

집에 고장 난 선풍기가 한 대 있다. 자세히 보면 하나가 아니고 셋이다. 오늘도 각자 제 고집대로 돌아가고 있다. 나는 그를 고장 난 선풍기라고 하지만, 그에겐 내가 고장 난 선풍기일 것이다.

증명사진

    여권 재발급을 위해 증명사진을 찍으러 갔다.

    오랜만에 방문한 사진관의 모습이 몹시 낯설게 느껴졌다. 기억 속 풍경과는 분위기가 완전히 달랐다. 문을 열고 들어서니 컴퓨터와 프린터기가 놓인 책상과 손님들이 앉는 기다란 의자 하나가 전부였다.

    각종 카메라가 전시된 진열장도 없고, 천장에 주렁주렁 매달린 현상된 필름도 보이지 않았다. 동굴처럼 숨어있던 암실도, 검정 보자기를 씌운 대형카메라도 찾을 수 없었다. 사진관의 크기도 예전의 절반으로 줄어있었다.

    옛 주인을 닮은 젊은 남자가 나오더니 꾸벅 인사를 한다. 여권용 사진이 필요하다고 했더니 잠시면 된다며 자리를 안

내했다. 리모컨으로 벽면을 가린 커튼을 열자, 스크린이 설치되어 있고 작은 의자 하나가 놓여있었다.

의자에 앉힌 후 이리저리 자세를 잡아주더니 휴대용 카메라로 여러 번 셔터를 누른다. 각도를 달리하여 몇 차례 더 촬영하더니 끝났다고 한다. 곧바로 카메라 속에 든 칩을 꺼내 컴퓨터에 연결한 후 모니터를 켠다.

커다란 화면 속에 비슷한 모습의 사진들이 한꺼번에 여러 장 뜬다. 모두가 내 얼굴인데 마음에 드는 것이 없었다. 눈도 코도 입도 제대로 생긴 것이 하나도 없었다. 한 장을 선택하라기에 다시 찍자고 했더니 수정하면 괜찮다고 한다. 하기야 방금 찍은 얼굴인데 다시 찍은들 달라질 것이 없을 것이다.

선택한 사진을 큼직하게 확대하더니 마우스를 갖다 대고 온갖 재주를 부린다. 삐뚤어진 입 모양을 바로잡고 보기 흉한 검버섯도 날려버린다. 순식간에 10년은 젊어 보이는 사진으로 수정하더니 여러 장 빼내 준다.

사진관을 나서는데 손에든 사진이 자꾸만 낯설게 느껴진다. 내가 생각하는 내 모습은 간 곳이 없고, 한 초로의 남자가 억지웃음을 짓고 있다. 주름살이 선명한 굳은 표정을 보니 마치 상갓집 영정 사진을 보는 것 같다.

언제부터인가 사진에 찍히는 내 모습이 마음에 들지 않았다. 카메라의 렌즈가 사람 눈보다 정확한지 세월의 흔적을 감출 수가 없었다. 그 후 가능한 사진 촬영을 피해왔다. 찍었던 사진들도 남에게 쉽게 내보이지 않았다.

얼마 전 한 친구가 책에 실린 내 사진을 보더니 이분을 아느냐고 물었던 적이 있다. 장난 삼아 한 말이지만, 숨겨왔던 비밀을 들킨 기분이 들었다. 그 사진은 20년 전에 찍었던 것으로 내 마음에 쏙 들었던 사진이다.

실제 내 모습보다도 훨씬 잘 나왔던 그 사진 덕분에, 간혹 모르는 사람에게서 전화가 걸려올 때도 있었다. 대부분 책에 실린 글과 관련된 얘기를 나누지만, 은근히 기분 좋은 일이기도 했다. 남에게 잘 보이고 싶은 마음이야 누구나 같을 것이다.

뒤늦게 알게 된 사실이지만, 나보다 더 오래된 사진을 이용하는 사람들도 있었다. 어느 월간지에 실린 예쁜 여류작가의 사진을 보고 한번 만나봤으면 했던 적이 있다. 우연히 어느 문학 행사에서 그분을 만났는데 처음엔 전혀 알아볼 수가 없었다. 분명 낯익은 얼굴인데 무척 곱게 늙은 여성분이 있어, 네임 카드를 슬쩍 보니 책에서 본 이름이 적혀있었다.

얼굴에 세월 가는 흔적들이 조금씩 나타나더니 이젠 대놓고 쌓여가고 있다. 매일의 변화야 알아챌 수가 없겠지만, 어쩌다 거울 속 모습을 보고 놀랄 때가 있다. 머잖아 한층 낯설어진 내 모습을 바라보며 세월의 무상함을 절감하게 될 것 같다. 어쩌면 지금 손에 들고 있는 사진 속 모습을, 더없이 그리워하게 될지도 모른다.

슬픈 이야기

새벽 정적을 가르는 구급차 소리가 들린다. 요란하게 울리는 경적警笛에 가슴이 철렁 내려앉는다. 또 어떤 사람이 불행한 일을 당했을까? 예고도 없이 순식간에 다가서는 불행의 그림자들, 한순간도 우리 곁에서 떠나지 않는다. 누군가를 노리며 끝없이 기회를 엿보고 있다.

불행이 자신에게 닥친다고는 누구도 생각하지 않고 있다. 모두가 남에게나 있는 일이라 생각하며 살아가고 있다. 불행에 빠진 뒤에야 비로소 자신을 돌아보며 때늦은 후회를 한다. 불행은 언제나 작은 틈으로 들어오지만, 지나간 자리는 평생을 함께하는 커다란 아픔이 된다.

스물일곱, 이제 막 시작할 나이에 너는 먼 길을 떠나갔다.

부모 형제들을 남겨두고 세상과의 인연을 단절해버렸다. 무엇으로도 채울 수 없는 상실감이 가슴을 아프게 한다. 너로 인해 돌이킬 수 없는 일도 존재함을 새삼 깨닫게 된다.

계절이 여러 번 바뀌었지만, 나는 계절의 변화조차 모르고 지냈다. 반복되는 일상을 병실에서 투병 중인 너의 상태에 따라 울고 웃었을 뿐이다. 아무런 감정도 느껴지지 않았다. 마치 넋 나간 사람처럼 멍한 나날을 흘려보내고 있었다.

나는 한곳에 머물러 있지만, 시간은 끝없이 흘러가고 있었다. 저마다 의미를 지니고 다가왔다 멀어져가던 순간들, 그들의 모습에 따라 희로애락은 결정되었다. 하지만 죽음이라는 현실에 직면하면 모두가 사치스러운 감정일 뿐이었다.

화장火葬을 고집했던 사람들, 그 뜻을 모르지는 않았으나 어차피 흙으로 돌아갈 육신이기에 선산 기슭 훗날 내가 누울 자리를 너의 유택으로 정했다. 네가 남긴 흔적들도 하루 빨리 지우라고 하지만, 네가 아끼던 소지품들을 따로 보관해 두었다. 그마저 없다면 더 허전하고 괴로울 것 같아, 틈틈이 너를 보듯 마주한다.

사춘기를 보내며 얼굴에 난 여드름 때문에 몹시도 고민하던 너였는데, 입관 때 핏기 잃은 너의 모습은 티 없이 맑았다. 머잖아 사랑하는 아내와 새살림을 차렸을 너인데, 그때

너의 집으로 찾아가 봐야 마땅한데, 적막한 산자락에 너를 두고 돌아서니 세상사 모두가 한없이 서러웠다.

불행과 상실의 불가분 관계를 생각해본다. 가족이든, 재물이든, 건강이든, 무엇이든 잃어버리면 불행을 느끼게 된다. 바라던 것을 얻었을 땐 행복을 느끼지만, 그 순간도 잠시뿐 이내 얻은 것을 지켜야 하는 수고로움에 직면하게 된다. 행복도 불행도 사람을 힘들게 하기는 마찬가지라는 생각이 든다.

살다 보니 하찮은 일을 더없이 부러워할 때도 있었다. 두 발로 걸어가는 사람을 누가 부러워하겠는가? 갈수록 마비가 심해지는 너를 보면, 흐르는 눈물을 지울 수가 없었다. 홀로 병원 뜰에 내려와 네 또래의 젊은이들이 힘차게 걸어가는 모습을 한없이 부러운 눈으로 바라보았다.

잃어보지 않고는 소중함을 깨닫지 못하는 어리석음을 한탄한다. 생각해보면 아무 탈 없이 지나간 날들이 더없이 감사했다. 곁에 있을 때 잘했어야 했는데, 평소에 감사하는 마음으로 살지 못했던 자신을 깊이 반성한다.

이승과 저승의 갈림길에 마련된 중환자실, 매일 같이 실려 나가고 또 실려 들어오고 있다. 무엇이 좋은 곳이라고 그곳에도 자리다툼이 있다. 언제나 기다리는 사람들로 넘쳐난다니 먼저 차지한 사실을 기뻐해야 할까?

중환자실의 생명은 이미 자신의 것이 아니었다. 수시로 꺼져가는 생명을 대수롭지 않게 지켜보던 의사들, 아무런 감정이 없는 기술자 같은 느낌이 났다. 무슨 주사인지 어떤 효과가 있는 약인지도 모른 체 처분대로 따랐지만, 다가오는 결과는 모두 환자와 가족들의 몫이었다.

불행이 가장 두려워하는 것을 희망이라고 했다. 하지만, 현대 의학에서는 그 희망을 찾을 수가 없었다. 답답한 마음에 의사도 아닌 주변 사람들의 말을 믿어도 보았지만, 그들의 방법 또한 아무런 효과가 없었다. 끝내는 창조주 하나님밖에 매달릴 곳이 없었다.

소문을 듣고 찾아온 교인들이 밤낮으로 기도해 주었다. 여러 교회가 연계하여 약속한 시각에 함께 일어나 통성기도를 하기도 했다. 믿음이 강한 권사님과 집사님들은 마지막 한 달을 하루도 빠짐없이 찾아와 눈물로 기도해 주었다. 너만큼 기도를 많이 받고 떠난 사람도 드물 것이라고 했다.

누구든 영원히 살아있을 수는 없다. 떠나가는 시점만 다를 뿐, 운명은 태어나는 순간 정해져 있는 것 같다. 우리가 모르는 사후 세계가 있고, 그곳에 천국과 지옥이 있다면 착하게 살다간 사람들이야 염려할 것이 없을 것이다. 죽음이

또 다른 세상으로 가는 과정이라면, 굳이 고통스러운 삶에
집착하지도 않을 것이다.

너에게 찾아든 불행이 오염된 환경과 공해, 그리고 누적된
정신적 스트레스에서 온다는 의사의 말이 생각난다. 이 순
간에도 이승을 찾아오는 수많은 어린 생명이 있다. 그들이
깨끗한 환경에서 건강하게 살아가야 하는데, 오염된 세상 물
결은 갈수록 거세지기만 하는구나.

지켜주지 못해 한없이 미안하다. 이승에서 못다 한 인연
저승에서 다시 만난다면, 그때도 내가 아버지의 위치에 있다
면 결코 지난날 같지는 않을 것이다. 자식을 향한 사랑을 가
슴에 담아두고, 위장된 표정으로 대하지는 않을 것이다.

자식을 향한 부모의 사랑보다 진실한 사랑은 없다고 했다.
하지만, 전달되지 못한 사랑은 아무런 소용이 없었다. 때늦
은 후회지만, 부모의 권위는 스스로 세우는 것이 아니라, 자
식들이 세워주는 것임을 잊지 않고 살아갈 것이다. 슬픈 이
야기는 언제 풀어놓아도 마음이 아프다.

허수아비

추수가 끝난 들녘에 허수아비가 서 있다.

누더기에 밀짚모자를 쓰고 찬바람을 맞으며 겨우 몸을 가누고 있다. 어쩌다 지나가는 사람 있어도 아무런 관심이 없다. 역할이 끝난 허수아비, 아직은 일할 힘이 남았으나 농부의 마음은 그를 떠나버렸다. 지켜온 것 다 내어주고 홀로 남은 허수아비, 지난날을 회상하는 멍한 눈빛이 서럽다.

아이들이 다녀갔다. 새싹 같은 손주들이 약속이나 한 듯 몰려왔다. 늦가을 허수아비처럼 할 일 없던 내게, 즐거운 소일거리가 생겼다. 함께 고향 집에도 가보고 선영에 벌초도 했다. 아이들의 웃음소리에 집안에 활기가 넘쳤다. 닫혔던 문들이 열리고 햇살이 쏟아져 들어왔다.

한 무리의 참새가 허수아비 위로 날아와 앉는다. 길게 벌린 팔 위로 빈틈없이 모여 앉아, 쉼 없이 재잘거리고 있다. 족히 사오십 마리는 되어 보인다. 밀짚모자 위에도 빈자리가 없다. 앉을 자리가 없는 새들은 주위를 맴돌며 날고 있다. 참, 많이도 왔다. 어디서 왔을까? 사방이 온통 새소리로 가득하다. 나를 찾아온 손주들의 수다 소리 같다.

언제부터인가 아이들이 귀여워지기 시작했다. 사람들은 그것을 늙어가는 증거라고 했다. 불현듯 옛 친구가 그리워지거나 멀리 있는 형제들이 생각나는 것도 나이 탓이라 했다. 요즘 들어 자주 고향 생각을 하고 있다. 역할이 끝난 곳을 떠나 잃었던 나를 되찾고 싶어서다. 눈만 뜨면 할 일이 지천인 그곳에서 건강을 돌보며 여생을 보내고 싶다.

오늘도 아내 몰래 고향 마을에 다녀오다, 들녘에서 허수아비를 만났다. 인적 없는 들녘, 그만한 존재도 없다. 꼿꼿이 자신의 자리를 지키는 모습이 믿음직한 수문장 같다. 그러나 아무도 그의 존재를 인정해 주지 않는다. 영락없는 뒷방 늙은이 신세다.

풍요로운 들녘을 지켜온 허수아비, 그의 권위가 처음부터 실추된 건 아닐 것이다. 새들도 한때는 멀찍이 돌아서 날아갔을 것이다. 추수가 끝난 이유만으로 남은 가치를 인정받지 못하는 허수아비, 왠지 낯설지가 않다.

현직에서 물러나던 날 가장의 권위는 속절없이 무너져 버렸다. 눈빛만 보고도 알아서 움직여주던 가족이 꿈쩍도 하지 않는다. 경쟁하듯 달려와 안기던 아이들 간 곳이 없고, 믿었던 아내조차 목소리가 높아졌다. 사소한 것들은 셀프서비스로 바뀌고 조금씩 자급자족 시대로 접어들고 있다.

지난날 사랑채에 기거하신 할아버지는 그 권위가 절대적이었다. 마을을 다니며 소일하는 것이 전부였지만, 누구도 맞설 수 없었다. 살아온 경험과 연륜만으로도 언제나 어른 대접을 받았다. 그 시절의 노후란 특별한 우대기간 같았다. 이제 그런 호사는 꿈도 꿀 수가 없다. 자칫하면 애완견보다도 순위에서 밀려나는 세월이다.

참새들을 보면 흡사 성가신 아이들 같다. 이른 새벽, 명자나무 가지에 모여 앉아 단잠을 깨워놓기 일쑤다. 기왓장 속에 집을 짓고 새끼를 길러 베란다 주변이 깨끗할 날이 없다. 좋을 것 하나 없으나 그들마저 떠나면 주위가 너무도 적막할 것 같다. 밤낮없이 꼭꼭 닫힌 대문들, 동네가 빈 들녘 같다.

갑자기 새들이 날아오른다. 부른 듯이 몰려와 한바탕 소란을 떨고는 순식간에 작은 점들이 되어 사라진다. 다시 정적 속에 묻힌 들녘이 아이들이 떠난 빈집처럼 허전하다. 새들이 날아간 산그늘을 향해 빙그레 웃고 있는 허수아비, 찬 바람이 그의 몸을 흔들고 지나간다.

가을이 끝나면 새들도 떠나갈 것이다. 들녘엔 흰 눈이 내리고 기나긴 겨울이 찾아올 것이다. 혹독한 시련을 앞에 두고도 웃음을 잃지 않는 허수아비, 돌아올 계절이 그에게 희망을 주고 있다. 준비도 없이 맞이한 내 삶의 겨울, 나에겐 돌아올 봄이 없다. 인사도 없이 떠나간 나의 봄은 다시 올 수가 없다.

얼마 걷지도 않았는데 지나온 들길이 까마득하게 이어져 있다. 특별히 하는 일도 없는데 시간은 참 빠르게 흘러간다. 괴롭고 힘든 시간보다 행복한 시간이 빨리 간다고 했는데 즐거울 것 하나 없는 날들이 너무나 빨리 가고 있다.

누구도 피해갈 수 없는 생로병사의 과정이 순식간에 다가서고 있다. 앞서간 사람들이 그랬듯이 이제는 떠날 준비를 할 때다. 아는 사람들의 기억 속에 좋은 모습들만 남겨놓고 홀연히 바람처럼 사라지고 싶다.

들녘을 돌아 다시 날아온 새들이 머리 위를 지나가고 있다. 며칠간 곁에 머물며 재롱을 떨어대던 손주들의 모습이 주마등처럼 스치고 간다. 아이들이 돌아가던 날, 소란 뒤에

오는 고요함이 좋기도 했지만, 나는 어느새 그들을 그리워하고 있다.

계절이 돌아오면 허수아비 너에겐 새로운 임무가 주어질 것이다. 나에겐 몰라보게 자라난 손주들이 찾아와 웃음을 안겨줄 것이다. 아침 햇살 같은 그들의 미소에 내 삶의 회한도 조금은 위로받을 수 있을 것이다.

허수아비 너에겐 돌아올 계절이 있고, 나에겐 새싹 같은 손주들이 있다. 눈보라 뒤를 숨어서 따라오는, 봄 같은 아이들이 있다.